도깨비를
찾아라!

도깨비를 찾아라!

김성범 지음

문학들

머리말

가장 소중한 이야기

어떻게 이럴 수가 있을까요? 부끄럽고 자존심도 상하고, 답답하고 어이가 없어 이 글을 쓰고 있

는 거랍니다. 뭣 때문에 그러느냐고요? 차분히 이야기해 보라고요? 그렇지 않아도 얘기를 나눠볼 참입니다. 어른들은 듣는 척 마는 척하니, 어린이 친구들에게 하소연도 하고 부탁도 하려고 이 글을 쓰는 거랍니다. 누군가는 꼬옥 내 이야기에 귀를 기울일 거라고 믿으면서 말예요.

난 전라도 섬진강 '도깨비살' 이라는 곳에 삽니다.

'도깨비살' 이 뭐냐고요? 도깨비고기냐고요? 쉿, 쉬! 큰일 날 소리, 도깨비가 들으면 기절초풍하겠습니다. 살이란 부챗살·문살·빗살처럼 촘촘하게 세워둔 것을 말하는 것입니다.

도깨비살은 물고기를 잡기 위해 바윗돌로 강물을 가로막은 둑을 말하는데, 도깨비들이 하룻밤 만에 뚝딱, 막아

곡성 섬진강 도깨비살

서 생긴 이름이랍니다.

난 이곳에서 동화도 쓰고, 동요도 짓고, 도깨비 조각을 하면서 살고 있지요. 마을이 없는 곳이니 늘 도깨비가 나타나길 기대하면서 말예요. 벌써 눈치를 챘다고요? 맞아요, 이곳에다 도깨비마을을 만드는 게 꿈이랍니다. 그래서 가장 먼저 도깨비대장을 큼직하게 만들어서 도깨비살 앞에다 떠억 세웠지요.

그런데 그때부터 문제가 생긴 겁니다. 나타나라는 도깨비는 나타나지 않고 속상한 일만 생겼답니다. 자존심도 상하고 화도 나고, 답답했습니다. 글쎄, 내가 만들어 세운 도깨비가 우리나라 도깨비가 아니랍니다. 난 초등학교 교과서에 14번이나 나오는 도깨비 이야기와 그림을 모두 참고해서 만들었는데 말이지요. 그렇다면 초등학교 교과서가 모두 틀렸다는 말인가요?

사람들은 잊을 만하면 나에게 전화를 해서 화를 돋웠어요.

섬진강 도깨비대장_ 김성범

"우리나라 도깨비는 뿔이 없단 말이에요. 당신이 만든 건 오니예요."

어떤 사람은 아예 찾아왔어요.

"우리나라 도깨비는 뿔이 두 개란 것도 몰라요?"

이렇게만 했으면 다행이게요.

"우리나라 도깨비는 모습이 없는데 당신이 뭔데 맘대로 만들어 놨죠?"

"도깨비방망이가 철퇴인 줄 아세요?"

나에게 말한 사람 중에는 도깨비를 연구하는 학자도 꽤 있었지요. 답답하기도, 부끄럽기도 했지만 어쩌겠어요. 배워야지요. 물어봤답니다.

"선생님, 초등학교 국어책뿐만 아니라 미술책과 즐거운 생활에서 도깨비이야기나 삽화가 수없이 나오는데요, 그림을 보면 도깨비 뿔이 한 개나 두 개로 그려져 있고 철방망이도 들고 있거든요."

"그건 모두 일본 오니지요."

"어떻게 그럴 수가 있지요? 교과서에서?"

"그것뿐인 줄 아세요?"

"또 뭐가 문제지요?"

"1학년, 6학년 국어책과 미술책에 나와 있는 혹부리 영감 이야기나 그림은 아예 일본 10대 설화인 오니예요."

이제 알겠지요? 내가 왜 부끄럽고, 자존심 상하고, 답답하고, 어이가 없었는지요.

하지만 아직 한 가지가 더 남아있습니다.

"선생님, 도깨비기와에 나타난 얼굴은 도깨비가 아닌가요?"

"우리나라의 많은 학자들은 도깨비가 아니라고 한답니다."

"그렇다면 우리나라 도깨비는 어떻게 생겼지요?"

"그게……. 글쎄요."

"왜 그러시죠?"

"슬프게도 우리나라에는 도깨비라고 증명해 볼 그림이

단 한 장도 없답니다."

어때요. 답답하지요. 화나고, 어이없지요. 부끄럽지요. 그래서 말인데요, 난 지금부터 우리 도깨비를 찾으러 떠납니다. 우리 도깨비를 찾아내서

"바로 이게 우리 도깨비야!"

주장을 해볼 거랍니다. 내 주장이 틀릴 수도 있습니다. 하지만 누군가 주장을 해야 하잖아요. 그래야만 연구의 계기라도 될 수 있지요. 아무도 그럴듯하게 주장을 하지 않으니까 일본오니가 뻔뻔스럽게도 우리 도깨비자리를 차지하고 있잖아요.

그것뿐만 아니에요. 우리 도깨비를 찾는 일이 중국의 동북공정을 막는 일이기도 합니다. 중국은 언제부턴가 고구려를 자기의 역사라고 합니다. 그들이 오랑캐라고 불렀던 동이족이며 도깨비의 시조인 치우를 대대적으로 발굴 복원하고 있습니다. 그리고 슬그머니 중국의 인문시조라고 합니다. 우리 할아버지를 자기네 할아버지라고 우긴다

는 뜻이죠.

그런데 더 답답한 것은 우리나라의 많은 학자들이 우리 역사가 아니라고 한다는 것입니다. 일제강점기 때 일본 총독부가 만들어놓은 역사책으로 공부했기 때문이죠. 일본이 우리 땅인 간도를 중국에 줘버렸어도 지금까지 아무 말도 안하고 있는 것과 같은 뜻이지요.

답답하고 답답하지요. 그래서 여러분에게 부탁합니다. 열심히 공부해서 우리 역사를 올바르게 세워주세요. 역사를 바로 세우는 게 우리 도깨비를 찾는 일이니까요. 아니, 이제는 우리를 지키는 일이 되어버렸군요.

차례 

넷, 도깨비 족보 만들기

다섯, 도깨비는 신앙이었대

여섯, 우리와 함께 살고 있는 도깨비

일곱, 도깨비방망이를 찾아라!

하나.

혹부리 영감이 일본 할아버지라네!

1. 초등학교 교과서에 실려 있는 도깨비

도깨비 공부를 하다 답답해서 강변에 나가 보기로 했어. 오늘도 어떤 사람의 항의 전화를 받았거든.

3월의 끄트머리, 마당에는 매화꽃이 이울고, 반달은 떴지만 숲길은 어두웠어. 달이 구름에 가려 희끄므레 했거든. 난 터벅터벅 걸어, 도깨비살에 세워둔 도깨비대장 앞에 섰지.

"도대체 넌 누구야?"

"……"

"너 도깨비 맞아?"

"……"

"참 답답하네! 말을 해봐, 말을!"

난 가져간 시루떡을 한 덩이 주고 돌아섰어. 돌아오는 길에 저승새라는 별명을 가진 호랑지빠귀가 휘파람을 불며 밤하늘을 돌아다녔어.

"휘~유, 휘~유."

"저 새는 사람을 으스스하게 만드는 재주가 있다니까."

난 다시 방에 들어와 도깨비 자료를 뒤적였어. 하지만

머리만 더 복잡해지네. 그때였어. 누가 방문을 두드리는 거야. 이 두메산골, 한밤중에 찾아올 사람이 누구? 잘못 들었나? 귀를 기울여봤지. 여전히 방문을 두들겨.

"누구세요?"

"저, 김서방인뎁쇼."

김서방? 김서방은 도깨비가 자기를 밝힐 때 쓰는 이름인데……. 생

각해 놓고도 피식 웃었어. 21세기에 도깨비는 무슨 도깨비! 촌스럽기 그지없는 말투 때문에 그랬나봐. 방문을 열었는데, 숨이 턱 막혔어. 도깨비야. 바로 내가 섬진강변에다 만들어 세운 도깨비대장이야. 넋을 놓고 멍하니 바라보고 있는데,

"그냥 갈깝쇼?"

한다. 난 정신을 번쩍 차렸지.

"아니야, 그렇지 않아도 내가 얼마나 너희들을 만나보고 싶었는데!"

"그래서 제가 왔구먼요."

"그래, 잘 왔네, 잘 왔어!"

도깨비가 내 앞에 앉았으니, 이제 도깨비의 궁금증은 모두 풀린 거 아니겠어? 난 다짜고짜 물었지. 이런 기회는 언제 끝나버릴지 모르는 거잖아. 혹, 꿈일 수도 있고.

"너, 어떻게 생겼어?"

"예?"

"도깨비 모습이 어떻게 생겼냐고."

"참 내! 주인님이 저를 만들어놓고 저한테 어떻게 생겼냐고 하면 어떡하남요?"

"뭐?"

도깨비대장 말을 듣고 보니, 그러네! 도깨비에게 다시 물었지.

"넌 네가 누군지 몰라?"

"10살 남짓 된 저에게 뭘 바라고 있는감요?"

"……."

난 할 말을 잃었어. 도깨비의 모든 진실을 밝혀낼 수 있을 거라는 기대는 순간에 폭삭 사그라졌지. 도깨비대장이 어물쩍 말문을 열었어.

"실은, 주인님에게 따질게 있어 왔는뎁쇼."

"뭐?"

"저를 바라보는 사람들이 오니라고 해서 기분이 안 좋구먼요. 자꾸 그러니까 저도 옷을 잘못 입은 것처럼 불편하고 말입죠."

나는 펄쩍 뛸 것처럼 손사래를 쳤지.

"그건 내 잘못이 아니야."

"날 만든 주인님 잘못이 아니면 누구의 잘못인감요?"

"교과서 잘못이야. 초등학교 교과서!"

내가 목소리를 높이며 쏘아붙이자 도깨비대장이 움찔, 입을 다물었어. 내가 만들어 놓은 녀석이 나에게 따져 드니까 은근히 부아가 난 거야. 하지만 녀석의 맘을 모르진 않아. 내 맘하고 똑같을 거니까. 그런 생각이 들자 미안해졌어. 알아듣게 설명해주기로 했지.

"그래, 너도 답답하겠지. 나도 마찬가지야. 나도 너를 만들 때 초등학교 교과서에 나오는 삽화들을 참고해서 만들었어. 이 그림 좀 봐."

즐거운 생활 1-2

국어 2-1 말하기 듣기

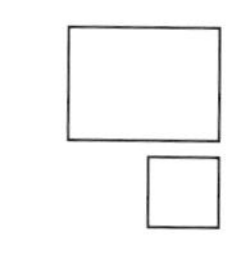

국어 2-1 말하기 듣기

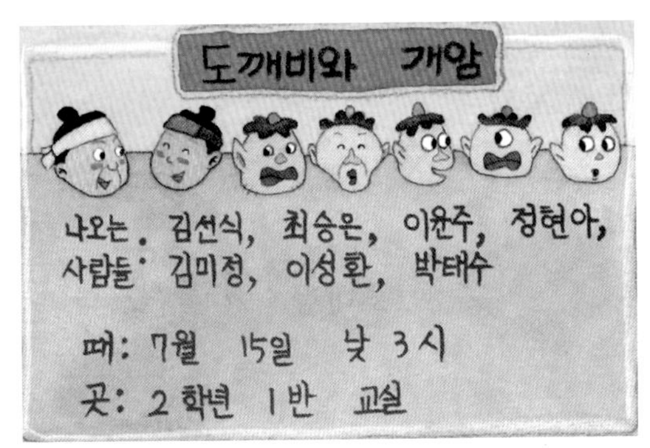

국어 2-1 쓰기

국어 2-1 말하기 듣기

국어 2-1 읽기

국어 2-2 쓰기

국어 2-2 쓰기

국어 4-1 말하기 듣기

국어 4-2 읽기

난 도깨비대장에게 교과서에 나오는 그림들을 보여 줬어. 거의 뿔은 하나에다 철퇴방망이를 들었고 무섭게 솟아난 송곳니에 호랑이가죽 팬티를 입었다.

도깨비대장은 삽화들을 보며 반가워했어.

"허허허, 내 친구들이네!"

국어 5-1 말하기 듣기

"웃으며 좋아할 일이 아냐."

"……그림을 보니 내가 도깨비인데……. 왜 오니라고 합죠?"

도깨비대장이 고개를 갸웃대며 물었어.

"혹부리 영감 때문이야."

미술 5학년

1

2

3

4

5

6

국어 5-2 말하기·듣기·쓰기

"혹부리 영감? 그 영감이 누군갑쇼?"

"일본 영감이야."

"무슨 말이지 알아들을 수가 없는뎁쇼."

"당연히 모르겠지. 좋아, 내가 설명을 해볼 테니까, 잘 들어봐."

도깨비대장은 자리를 고쳐 앉았고, 난 혹부리 영감에 대해 정리해 놓은 노트를 펼쳤어.

국어 2-1 말하기·듣기

2. 혹부리 영감 이야기 추적표

12세기 말 『우지슈이 이야기 집』은 일본에서 만들어진 책으로 오니에게 혹 뗀 이야기와 삽화가 그려져 있다.(일본의 10대설화 중 하나다.)

1904년 일본 국정교과서(국어교과서)에 고부토리(혹 있는 노인)이야기가 실린다.

1909년 일본 심상소학독본 권1(일본 초등학교 교과서)에 혹부리 영감 이야기와 혹부리 영감 삽화가 나온다.

1910년 『조선설화채록집(한국어집 부리언)』은 일본총독부에 의해 일본학자 다카하시도루에 의해 발간되는데, 우리나라에서 최초로 혹부리 영감 이야기가 실린 책이다. (1910년은 일제강점이 되던 해이고, 일본 학자들이 내선일체를 주장하기 위해 일부러 혹부리 영감 이야기를 넣어 조작한 것으로 추정된다.)

1915년 보통학교 조선어(급) 한문독본에 「혹 있는 노인」이 수록되어 우리나라 어린이들이 배우기 시작한다.

1921년 『조선의 귀신(조선총독부발간)』에서 조선의 도깨비는 원적지 출생지 현주소 용모 복장 등을 전혀 알 수 없다고 기록되어 있다. 즉 앞에서 말한 조선설화 채록집이나 도깨비 삽화들이 오니임을 일본학자 스스로 확인하고 있다.

1909년 심상소학독본 권1과 1915년 보통학교 조선어급 한문독본2 비교(김종대, 저기 도깨비 간다 삽화 참조) 복장만 조선식으로 바꾸어 놓은 걸 알 수 있다.

1923년 보통학교 『조선어 독본 권2』에 「혹 뗀 이야기」로 우리나라 국어 책에 실리는데 일본교과서에 실린 그림

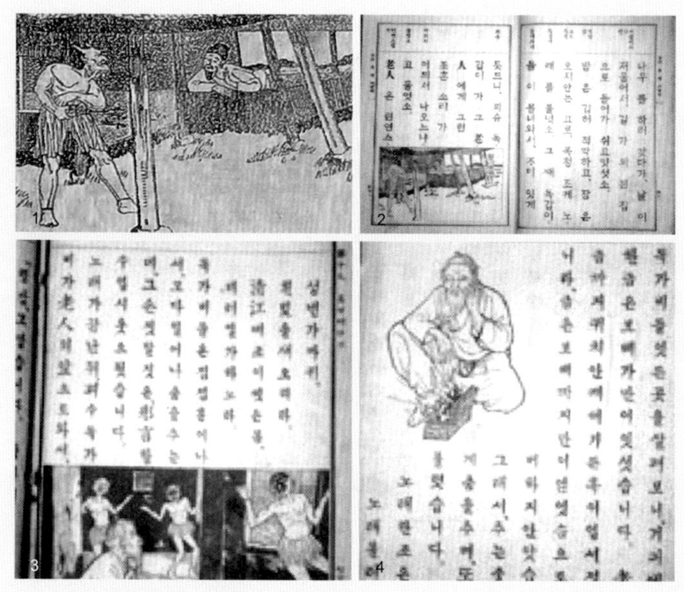

1, 2. 1923년 조선어독본 권2 혹 뗀 이야기 삽화
3, 4. 조선어독본 권2 혹 뗀 이야기

과 비교해보면 옷과 신발만 조선식으로 바꿔 놓은 걸 알 수 있다.

1939년 1938년 조선어 교육이 금지되자 우리나라 어린이들은 1939년부터 아예 일본 국어교과서로 배우게 된다.(1933년 출판한 일본 국정교과서 소학국어독본)혹 뗀 이야기를 배울 뿐만 아니라 삽화의 복장도 당연히 일본식으로 바뀐다.

초등국어독본 권2 혹부리
영감(고부도리지이)

2011년 현재 우리나라는 제7차 교육과정에서 「혹 뗀 이야기」 「혹부리 영감」으로 1학년·5학년·6학년에서 배우거나 그 흔적이 보이고 삽화도 일본 교과서로 배웠던 오니와 크게 다르지 않다.

국어 2-1 읽기

도깨비대장이 노트를 뚫어지게 쳐다봤어.

"어때, 답답하지. 일제 강점기 때부터 지금까지 100년 간이나 우리 오니를 도깨비라고 잘못 배운 거야. 앞으로도 계속 배울 것 같고."

도깨비대장이 고개를 까웃거리다 물었어.

"그림은 증거가 있으니 오니라고 해도 혹부리 영감 이야기는 우리나라에도 있을 수 있잖남요?"

"물론 그럴 수도 있지. 하지만 우리나라에서 혹부리 영감 이야기가 처음 나온 게 앞에서 본 것처럼 일본총독부가 일본 학자한테 시켜서 만든 책에서야."

"일본 학자가 만든 책이라고 우리나라 이야기가 아니라고 말할 순 없지 않남요?"

"그렇기도 하지만 그땐 일제강점기였어. 일본은 우리나라뿐만 아니라 아시아가 하나라고 강조하는 내선일체를 주장하고 있었을 때야. 넌 잘 모를 수도 있지만 광개토대왕비나 칠지도를 조작하여 뻔뻔스럽게도 임나일본부설을 주장하는 걸 보면 이 정도 조작은 도깨비가 메밀묵 먹기보다 쉬운 일이었을 걸!"

"그러면……. 혹부리 영감 이야기를 없애야 되남요?"

"내 생각에선 그래서도 안 되고, 이야기가 없어질 것 같지도 않아. 이미 우리나라 사람들에게 가장 사랑받는 전래동화가 되어 있으니까."

"그럼 어떡하남요?"

"어떡하긴 사실대로 이야기해야지. 나라를 빼앗겨서 생겨난 이야기일 거라고. 바로 이런 게 문화수탈이고, 침략을 당한 결과라고 배우고 토론하면 되는 거야."

도깨비대장은 얼굴이 굳어졌어. 이를 앙당 물고 말했어.

"잘못이란 걸 뻔히 알면서 왜 고치려고 생각하지 않남요?"

"어른들이 게을렀든지 우리나라 도깨비가 꼭꼭 숨어 있어 못 찾아냈든지, 둘 중 하나겠지."

"이야기는 놔두고라도 내 얼굴만은 찾고 싶구먼요. 꼭 우리 뿌리를 찾아내고야 말 거구먼요."

"암! 찾아내야지, 찾아내야하고 말고."

도깨비대장의 얼굴빛만 봐서는 도깨비의 진실은 이미 우리 손아귀에 든 거나 다름없었지.

둘.

우리나라 도깨비들은 모두 모여라!

1. 우리나라 도깨비는 뿔이 없다고?

도깨비대장은 손으로 자기 뿔을 만지작거리며 말했어.

"가장 큰 문제는 이거구먼요."

"……"

난 말없이 뿔을 바라봤어. 도깨비대장이 말을 이었어.

"사람들이 내 뿔을 보고 자꾸 오니라면서 혀를 차고 가니, 이걸 어떡해야 할지 모르겄구먼요."

"넌 네 뿔을 어떻게 생각하는데?"

"저야 당연히 이 뿔이 최고의 멋입죠."

"그럼 그렇게 생각하면 되지."

"사람들이 자꾸 오니라고 하니, 문제 아닌감요."

도깨비대장은 볼이 퉁퉁 불은 소리를 냈어. 난 그러든 말든 무심히 말했지.

"사람들마다 뿔이 있다 없다, 하나다 둘이다, 각기 딴소리를 하고 있으니, 넌 모른 척 있으면 돼!"

일본 나라시대 귀면와

1. 일본 북해도 원주민인 아이누족이 집안에 모신 오니
2. 일본오니 삽화
3. 일본 호류사 오니(나졸)
4. 일본 흥복사 천둥귀
5. 일본 오니

일본귀면와

"예?"

도깨비대장은 고개를 갸웃거리더니 물었어.

"좀 전에는 주인님이 일제강점기부터 지금까지 초등학교에서 잘못 가르쳤다고 하지 않았남요?"

"그랬지!"

"대체 무슨 말인갑쇼?"

도깨비대장은 도저히 알아들을 수 없다는 표정을 지었어.

"너도 생각해봐, 아무리 우리 조상님들이 도깨비그림을 한 점도 남겨놓지 않았다 하더라도 너무 쉽게 뿔을 받아들인 게 이상하지 않아?"

"이상하긴 하지만……."

"이상할 필요는 없어. 당연한 이야기니까."

"무슨 말씀인지 모르겄구먼요?"

"일본오니의 모습은 귀면와와 시왕도의 옥졸에서 빌렸던 거야. 그 귀면와와 시왕도가 어디에서 전해졌겠어?"

"……우리나라 인감요."

"바로 그거야. 일본오니의 모습은 백제나 삼국에서 불

교와 도깨비기와가 일본으로 전해지면서 생겨난 거야. 그랬으니 우리나라 사람들이 뿔 달린 도깨비를 거리낌 없이 받아들일 수밖에."

"하지만, 뿔이 없다고 말하는 사람들도 까닭이 있지 않을깝쇼?"

"당연하지. 그 사람들은 설화 속에 나타난 도깨비만 도깨비로 인정하는 거야."

"설화 속에서는 도깨비가 어떻게 생겼남요."

"커다란 키에 패랭이를 썼고, 온몸에 털이 수북이 났지. 거기에다 도깨비란 놈은 잘 안 씻는지 노린내가 난다고해. 어때 맘에 들어?"

2. 도깨비기와

난 설화로 예상해본 그림을 보여주고 도깨비대장의 눈치를 봤어. 도깨비대장이 꾸욱 다물고 있던 입을 열었어.

“별로 맘에 들지 않지만 그게 우리들 모습이라면…….
하지만 전 귀면와의 뿔 달린 도깨비모습이 더 맘에 들구
만요.”

“쯧쯧, 도깨비가 스스로 귀면와라네!”

“무슨 말인갑쇼?”

“귀면와는 말 그대로 ‘귀신얼굴기와’란 뜻이잖아. 네
가 귀신이야?”

“그런 말 맙쇼, 주인님! 난 귀신이 아닌뎁쇼.”

도깨비대장은 손을 짤짤 흔들어 댔어.

“누가 너더러 귀신이래? 귀면와는 일본학자들이 오니
기와를 가리켜서 만든 말이야. 그런데 우리나라 학자들이
그대로 말을 빌려다 쓰고 있지. 그래서 난 절대
로 귀면와란 말은 안 써!”

통일신라 소뿔 도깨비기와

"도깨비기와요?"

도깨비대장이 말을 자르고 불쑥 끼어들었어.

"맞아, 당연히 도깨비기와이고 말고! 더욱이 도깨비기와가 하는 일은 지붕 위에 버티고 서서 삿된 귀신을 쫓아내는 일을 하고 있는데, 귀면와라니 말이 돼?"

"아니요, 안 되죠. 아~ 그러고 보니 주인님 생각은 도깨비기와 문양을 도깨비라고 생각하시는 건감요?"

"그래."

도깨비대장은 내가 펼쳐 보이는 도깨비기와 문양을 헤벌쭉 넋을 놓고 바라보았어.

고구려 기와(일본 이우찌소장)

1. 낙랑 수막새
2. 백제 서까래기와 추정
3. 고신라수막새(중앙박물관)
4. 고구려 안학궁 출토
5. 고구려 사래기와
6. 고구려 수막새
7. 월성출토 왕도깨비기와
8. 통일신라 외뿔 도깨비기와
9. 통일신라 도깨비기와
10, 11. 통일신라 녹유 사래 도깨비기와
12. 고려수막새(중앙박물관)
13. 조선 인면문 암막새

■ 기와란?

지붕에 덮는 재료로서 점토를 구워 만든 것입니다.

■ 기와의 명칭

·**암키와_** 지붕바닥면에 깔리는 기와로 등고곡선 모양

·**수키와_** 암키와 위에 올라가는 기와로 암키와와 같으나 넓이는 반 정도밖에 안됨

·**도깨비기와(사래기와)_** 도깨비얼굴을 그린 장식

·**암막새_** 지붕에 암키와를 얹은 후, 끝을 마무리할 때 쓰이는 것.

·**수막새_** 지붕에 수키와를 얹은 후, 끝을 마무리할 때 쓰이는 것.

·**모서리 암막새_** 끝을 마무리할 때 쓰이는 것으로 끝에 사용 되는 무늬기와

·**곱새기와_** 지붕 마루 끝에 대는 수막새 모양의 기와

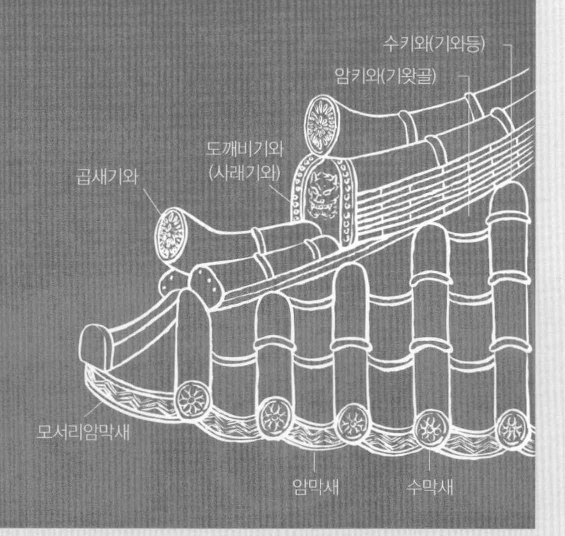

3. 그 밖의 도깨비문양

도깨비대장이 흐뭇해 하는 모습이 어찌나 천진난만한지 어린애하고 마주 앉은 듯 기분이 좋아졌어. 난 도깨비대장을 더 즐겁게 해주고 싶었어.

“도깨비기와에만 너희들 모습이 있는 건 아니지.”

“기와 말고 또 어디에 있남요?”

도깨비대장은 나에게 바싹 다가 앉으며 애교 섞인 말투로 물었어. 좀 징그럽긴 했지만 귀엽기도 했어.

“한 두 곳이 아니야. 문고리부터 향로·말방울·투구·궁궐다리·왕릉·탱화 등 곳곳에서 나타나지.”

나는 다시 도깨비 문양을 보여줬어.

그림에 눈을 못 떼고 있는 도깨비대장에게 말을 이었어.

1. 고구려 안악 3호분 돌기둥 문양 2. 금동 문고리(경주안압지) 3. 통일신라 도깨비 전돌

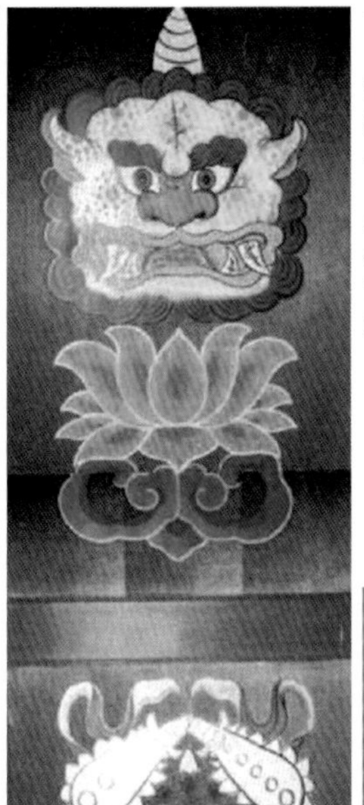

1. 국보 제145호 도깨비얼굴 청동로(고려)
2. 경복궁 꽃담 도깨비문양
3. 고려청자 도철문 향로
4. 도깨비말방울 (마사박물관. 조선)
5. 창덕궁 금천교(조선)
6. 화엄사 원통전(옷깃 문양)
7. 하창하소장(삼신사)
8. 조선 방울

1. 관촉사 대웅보전 2. 서방광목천왕 흉배조각(논산) 3. 쌍영총 벽화
4. 을지문덕 투구 5. 조선시대 투구

"기와나 투구 왕릉에 나타난 도깨비문양을 도깨비다, 아니다로 많이들 다투고 있지. 설화에서 이야기하는 도깨비 모습과 다르니까 그럴 수도 있다는 생각은 들어. 그래서 난 설화 속 도깨비는 과연 어디에서 왔을까, 생각해 봤지. 그러다가 문득 이런 생각이 들었어."

"어떤 생각말입쇼?"

도깨비대장은 번쩍 고개를 들었어.

"우리나라는 귀신도 아니고 사람도 아닌 중간에 있는 존재를 모두 도깨비라고 한다는 걸 말야."

난 하던 말을 뚝 끊고 도깨비대장을 바라봤어. 도깨비대장이 어물쩍 대답했지.

"……그러니까 도깨비기와에 나타난 문양이 우리 도깨비들의 조상이란 말인갑쇼?"

세종대왕릉

1, 2. 조선시대 용수판
3, 4. 보물 제6호 원종대사 부도비
5. 웃는 도깨비전(한국문화재보호재단)
6. 국보 제287호 대향로

"맞았어! 난 그래서 도깨비를 협의의 도깨비와 광의의 도깨비로 그리고 그 중간 형태인 과도기 도깨비로 나눠야 한다고 생각해."

"뭐라고요?"

"설화 속에 나오는 도깨비를 좁은 의미의 도깨비라고 하고, 도깨비기와처럼 문양으로 나타난 도깨비를 넓은 의미의 도깨비로 이름을 붙여줬지."

난 말끝에 공부하면서 정리해놓은 표를 보여줬어.

4. 광의의 도깨비와 협의의 도깨비

구분	광의의 도깨비(문양)	협의의 도깨비	과도기 도깨비
시 대	상고시대부터 현재까지	조선시대를 중심에 둠	삼국시대부터 조선시대까지
모 습	동물 모습에 가까움/ 뿔과 송곳니 있음	·빗자루·부지깽이·절구공이·그릇 등 생활용품이 변신하기도 하며 도깨비불로 나타남. ·설화에서는 노린내 나는 팔대장승 같은 놈, 또는 온몸에 털이 북슬북슬 난 놈, 다리 밑에 패랭이 쓴 놈으로 일컬어진다. * 도깨비기와도 사람의 모습으로 바뀐다.	사람과 동물이 합성되거나 신의 모습
대 상	지배계층(양반)	서민 · 평민	양반·서민

구분	광의의 도깨비(문양)	협의의 도깨비	과도기 도깨비
성 별	남성성	남성성(여성에게 무척 약한 모습 보임)	남성성
신 격	지킴이(화재, 재액, 벽사)	기복·수명·고사·고수래 대상(특히 여성중심 제의)	사천왕의협시·지옥졸·마을지킴이 등
거주지	기와·석수·자물쇠(장롱 곳간 등)·단청·귀면청동로(국보145호)·정자·제각·사당·말안장·고리쇠(신라)·세종대왕릉·보물 제6호부도비·국보 제287호 대향로 등	빈집·바다·강·마을뒷·산·상여집·서낭당 등(어스름부터 활동하며 주로 밤에 활동, 가끔 낮에도 나타남.)	지옥도·탑·전돌·고분·경주 식리총 식리·요패 등
주술도구		방망이·감투·등거리·맷돌·책보 등	도끼·방망이·칼·송곳 등
발전형태	문양·도상	설화	절 등 신앙에 수용
색깔	빨강(산해경에서 치우는 붉다고 기록)	빨강(유양잡조에서 빨강옷 입은 어린이) 팥죽 좋아하며 때에 따라서는 푸른불, 도깨비살 설화에서는 푸른돌로 나타난다.	빨강(적령부)
기원및 문화적 영향	기원전 2707년 배달국 제14대 천왕의 모습으로 추정	독자적으로 발생	불교 및 민간신앙

* 협의의 도깨비는 우둔·엉뚱·솔직·순박·호색·장난끼가 넘치는 성격을 가지며 노래 춤과 음식을 즐기고 음식 중에서 돼지고기 팥죽 막걸리 개고기를 좋아하고 특히 메밀을 가장 좋아하는 극히 서민적인 특징을 보인다. 반면에 무서워하는 것으로는 백말피와 백구가 있다.
* 광의의 도깨비란 사전적 의미로 협의의 도깨비를 포함한 개념이나 여기에서는 문양이나 도상을 지칭하는 뜻으로 한정하여 사용한다.

도깨비대장이 표를 한동안 뚫어져라 보더니 고개를 들었어.

"주인님, 서로 너무 많은 차이가 나는뎁쇼."

"나도 그렇게 생각해."

"주인님도 참!"

도깨비대장은 떨떠름한 얼굴이 되었어. 나는 고개를 끄덕이며 설명을 더했지.

"나도 그렇게 생각이 돼서 둘 사이에 징검다리가 될 만한 도깨비가 없을까 해서, 여러 개 찾아놨지."

"어떤 거요."

도깨비대장이 바싹 다가앉았고, 다시 사진을 보여줬지.

"난 이 도깨비들을 광의의 도깨비와 협의의 도깨비의 가운데에 선 과도기도깨비, 즉 징검다리도깨비라고 이름을 붙여줬지.

5. 과도기 도깨비들

(1) 고구려 고분벽화

고구려 장천벽화 고분

(2) 보물 제343호, 백제시대 전돌(벽돌)

복원상_ 김성범

*도깨비기와 얼굴에 몸을 가진 대표적인 모습이며 치우천왕을 추정할 수 있는 모습이기도 하다.

(3) 국보 제10호 백장암 3층석탑의 탑신

복원상_김성범

* 형태로 도깨비 이름을 유추해 볼 수 있는 유일한 형상(도치+아비)

(4) 화엄사 명부전의 시왕도

* 호랑이 가죽 옷을 입었다.

(5) 흥천사 시왕도와 운주사 지옥졸

흥천사 시왕도　　　운주사 지옥졸

(6) 조선 오광대놀이에 등장하는 비비탈

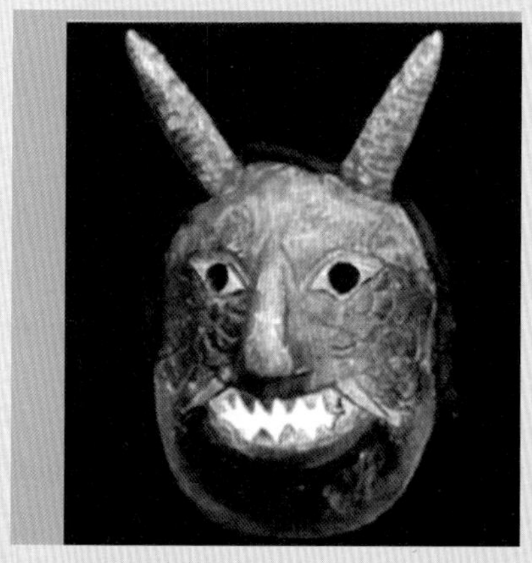

비비탈(이무기의 모습을 형상화 한 것)

(7) 도깨비방망이를 든 모습

오어사 인왕　　　　서울 봉은사 금강(삼신사)

(8) 실상사 석장승

(9) 강진 사문안 석조상(조선시대)

전라남도 문화재자료 제187호

복원상_ 김성범

* 도깨비가 든 방망이를 보면 소나무 옹이인 부엉이방귀를 닮은 걸 볼 수 있다.

(10) 경주 식리총 식리

과도기 도깨비 사진을 보던 도깨비대장이 물었어.

"그런데요, 주인님. 왜 사진 속에서는 도깨비뿔이 생겨났다가 없어졌다가 하남요?"

"글쎄, 시왕도의 지옥졸도 조선후기로 오면서 뿔이 사라지고 도깨비기와도 조선후기로 오면서 거의 사라지지. 내 생각으로는 서민들의 성품이었던 거 같아. 괴기스럽고 무서운 모습보다는 해학적이고 장난스러운 걸 더 좋아했나 봐. 학자처럼 멋지게 표현해서 고대에는 절대자의 위치에 있는 신앙이었다가 삼국시대 우리나라에 불교가 들어오면서 불교에 흡수되었을 거야. 그때까지만 해도 도깨비가 수문장이나 사천왕의 협시 아니면 지옥졸의 역할을 했는데, 유교국가인 조선시대에 들어오면서 더욱 설자리를 잃게 된 거야. 쉽게 말해 조선시대에 양반에게 쫓겨난 도깨비들이 서민에게 다가가 협의의 도깨비가 된 거라고 봐."

6. 도깨비방망이는 부엉이방귀

도깨비대장은 내 설명을 들으면서 고개를 까우뚱거렸어.

"뿔만 그런 건 아닌뎁쇼."

"그럼?"

"강진 사문안 석조상을 보면 한 녀석은 다리가 이상하고 또 한 녀석은 방망이가 이상하게 생겼는뎁쇼."

"넌 참 관찰력이 뛰어난 훌륭한 도깨비로구나!"

"허, 거, 참! 그렇게 보이니까, 그렇다 한 걸가지고 송구스럽게 칭찬까지 하는갑쇼."

도깨비대장이 칭찬을 받자 얼굴까지 발그레지며 쑥스러워 했어.

"잘 봤어. 한 녀석의 다리가 허깨비인 것은 우리가 옛이야기에서 도깨비들과 씨름할 때 왼다리만 걸면 이길 수 있다는 증거지…… 너!"

난 이야기를 하다말고 도깨비대장의 왼다리를 미심쩍게 바라봤어.

"내 다리가 잘못됐남요?"

"너도 혹시 왼다리가 허깨비 아냐?"

"어, 어? 저는 아니구먼요!"

도깨비대장이 발끈 화까지 내면서 홍당무가 되었어. 나는 손사래를 치며 달래줬지.

"알았어, 알았다고. 혹시나 해서 물어본 것뿐이야."

도깨비대장이 툴툴대며 물었어.

"그건 그렇고 또 한 녀석이 가지고 있는 도깨비방망이가 왜 저렇게 생겼남요?"

"너무나 소중한 방망이지."

"뭐가 말입죠?"

"우리가 알고 있는 도깨비방망이는 철퇴지?"

"예, 저도 철퇴를 들고 있습죠."

"그런데 그게 잘못된 방망이란 거야. 일본오니처럼 사람을 못되게 구는데 쓰는 게 아니잖아."

"그럼 도대체 우리 방망이는 어떻게 생겼단 말입죠?"

"부엉이방귀!"

"뭐라 곱쇼?"

도깨비대장은 어리둥절했어.

"저 사문안 석조상의 도깨비가 들고 있는 방망이가 부엉이방귀야!"

강진 사문안 석조상_
전라남도 문화재자료 제187호

"무슨 말인지 하나도 못 알아듣겠는뎁쇼."

"넌 도깨비가 되어가지고 부엉이방귀도 모르느냐?"

도깨비대장은 내 말에 어이없는 얼굴빛이 되었어.

"좋아, 설명해주지. 깊은 산에 들어가면 소나무가지에 불룩 튀어나온 혹이 있는데 바로 부엉이가 방귀를 뀌고 간 나무야."

도깨비대장이 말을 자르고 들어왔어.

"그래서요. 우리 도깨비들이 부엉이방귀를 들춰 메고 다닌다고요?"

"그럼 넌 이게 뭐라고 생각하는데?"

난 다시 사진을 보여줬어. 물론 부엉이방귀까지.

도깨비대장은 사진을 가만히 들여다 보더니 씨익 웃으며 고개를 들었어.

"허 참! 재밌는뎁쇼!"

"그렇지? 재밌지? 그럼됐어. 이제부터 도깨비방망이는 부엉이방귀다!"

1. 복원상과 부엉이방귀　　2. 소나무에 달린 부엉이방귀

도깨비대장이 다시 사진을 들여다보며 웃더니, 다짐받는 말을 했어.

"분명히 도깨비방망이는 부엉이방귀가 맞는다고 했습죠?"

"난 맞아! 다른 사람들은 몰라도."

"에이 그건 또 무슨 말인갑쇼?"

"위에서 보는 사진은 그렇지만도!"

"그렇지만도!"

도깨비대장이 나를 빤히 바라보며 말꼬리를 물었어.

"우리 설화에서는 그렇지만 당나라 때 단성식이란 사람이 쓴 『유양잡조』란 책에서!"

"유양잡조란 책에서!"

"우리 도깨비방망이 이야기와도 비슷하고 흥부놀부이야기와도 비슷한 이야기를 신라의 김가네 조상이야기라고 써놨는데!"

"써놨는데!"

"그 이야기에서는 쇠송곳이라고 써놨거든!"

"예? 뾰족한 송곳말인감요?"

"그래."

"참말인감요?"

"그래서 그 조상의 이름이 형은 방이고 동생은 김추(金錐)라고 송곳이란 뜻을 가지고 있지."

"그게 별로 맘에는 안 드는뎁쇼. 좀스럽게 쪼그맣고도 얄삽한 송곳이라뇨?"

도깨비대장이 고개를 꺄웃거리다, 생각난 듯 물었어.

"주인님, 지금 우리가 무엇에 대해 이야기 했습죠?"

"도깨비방망이에 대해 이야기 했잖아."

"그전에 말입쇼."

"도깨비에게 뿔이 있느냐 없느냐를 이야기했지."

"그렇습죠? 그런데 아직 답은 안 나왔습죠?"

"아직 안 나왔지. 너무 오래전의 일이니까."

"얼마나 오래된 일인감요?"

"4700년 전 치우천왕 때지."

"천왕이라고 했는갑쇼?"

"그래! 세상에서 최초로 뿔이 달린 투구를 만들어 썼던 천왕이야."

"우리 시조를 천왕이라고 말한 건갑쇼?"

"맞았어!"

"예?"

도깨비대장 눈이 휘둥그레졌어. 입은 쩍 벌리고 말야.

"하지만 잃어버린 천왕이야."

"잃어버렸으면 찾아내면 됩죠!"

도깨비대장의 눈빛이 처음으로 번쩍 빛났어.

그만큼 난 마음이 착잡해졌지. 먼저 내가 만든 치우천왕 복원상을 보여주기로 했어.

셋.

잃어버린 도깨비 역사를 찾아서

1. 치우와 도철문양 및 화상석

"어때, 도깨비의 시조를 만나보니."

"워메! 주인님, 감격스럽구먼요. 그런데 주인님!"

도깨비대장이 무언가 궁금해 죽겠다는 얼굴이 되었어.

"이 분은 어떤 분이셨남요?"

"그러니까 지금으로부터 약4700년 전, 신시배달국의 제14대 천왕이었지."

김산호 화백의 「상상도」를 참조하여 재현한 치우천왕

치우천왕을 우러르며 물었어.

"치우천왕님이 쓰신 저 투구가 바로 우리 도깨비 뿔이란 말입죠?"

"맞았어. 저 분이 너희들 뿔을 처음 만든 거야."

"그렇담 그 이전에는 저런 투구는 아무도 안 썼남요?"

"당연하지, 그때는 석기를 사용하던 시대였으니까."

"그런 걸 주인님이 어떻게 다 아남요?"

"중국 사료에서 보면 치우천왕한테 동두철액이라고 별명을 붙여 놓았으니까."

"동두철액이 뭐남요?"

"중국 사람들은 치우 모습을 머리는 구리, 이마는 쇠라고 했어. 어디 그 뿐이겠어. 눈은 네 개에다 팔은 여섯 개나 달렸고 수염은 마치 창처럼 뻗어 있다고 했지."

"왜 그렇게 무시무시하게 생겼다고 했남요?"

"중국 사람들이니까 그럴 수밖에."

"도저히 무슨 말인지 못 알아듣겄구먼요."

도깨비대장은 답답해하며 짜증을 냈어.

"짜증 낼 일이 아냐. 너희들 시조에 대한 이야기니까."

"알고 있구먼요."

"그래, 잘 들어봐."

도깨비대장은 다시 몸을 바로 잡았어.

"치우는 우리민족인 동이족의 왕이었어. 그런데 중국 사람들의 시조인 화하족의 수장, 황제가 전쟁을 일으킨 거야. 10년 동안 73차례나 싸웠는데 무두 치우천왕에게 지고 만 거지."

내가 말을 그치고 도깨비대장을 바라봤어. 혹시나 아는 척해보라고 기회를 준 거야. 역시나 우둔한 도깨비야. 나를 멍하니 쳐다보다 물었어.

"그래서요?"

"싸웠다하면 지고 말았으니, 치우천왕이 얼마나 무서웠겠어. 더군다나 생전 처음 보는 뿔난 투구까지 썼으니 괴물로 보였겠지."

난 도철문과 치우의 화상석을 보여주기로 했어.

"이걸 보면 중국 사람들이 치우천왕을 어떻게 생각했는지 알 수 있을 거야."

도철문饕餮文과 화상석畵像石

상대 청동기의 도철문 정주 우수정(鄭州 牛首鼎) 남북조 시대 화상전의 치우 (도철문의 원조로 알려져 있다)

- 남북조시대 화상석 치우는 우리나라에서 자오지(慈烏支) 천왕으로 불리는 흔적을 발견할 수 있다. 즉 태양을 상징하는 고구려의 삼족오의 모습을 엿볼 수 있을뿐더러 자오(慈烏)는 태양의 아들을 가리킨다.
- 북송의 금석학자들은 치우를 삼국시대의 도철원형으로 보기도 한다.
- 동이족이 치우의 문양을 직접 표현한 것이라고 추정할 수도 있다.

남북조시대 화상석

중국 기남 화상석

한나라 화상석

• 무씨사석실, 곰의 형상을 한 치우와 어린아이(단군)를 입에서 끄집어내는 범의 모습(환웅시대)

도깨비대장은 입맛을 다시며 말했어.

"왜 손발에는 무기를 잔뜩 들고 있남요?"

"치우천왕이 철로 무기 다섯 가지를 만들었다는 뜻이야. 활은 동이족을 뜻하는 거고. 당시에는 무기가 돌이나 나무였는데 치우천왕이 철로 무기를 만들어 싸웠으니 중국의 황제가 도저히 이길 수가 없었던 거지."

"이나저나 어쩐지 으스스해 보이구먼요."

"당연하지."

"뭐가 당연하단 말인감요? 우리 조상님한테 말입죠?"

도깨비대장이 나한테 대들듯 말했어.

"둔하기는, 우리 입장에서 그려도 무섭게 그리려는 건 마찬가지였겠지만, 중국인의 입장에서 그렸으니 그렇지. 그림이든 역사든 모두 자기들 입장에서 그리고 쓸 수밖에 없는 거잖아."

도깨비대장이 눈을 끔뻑이더니 말했어.

"그렇담, 우리나라 입장에서 그리고 쓴 치우천왕님을 보여줍쇼."

나는 잠시 할 말을 잃었다가 사진을 보여줬어.

도깨비대장이 사진을 바라보더니 빙그레 웃음을 머금고 말했어.

"바로 이게 우리나라에서 만들어놓은 치우천왕이구먼요."

"아니야, 중국에서 만들어놓은 거야."

"중국이랍쇼? 중국에서는 치우천왕이 괴물이라고 하지 않았남요?"

"이젠 아니야."

호남성 화원현

"예? 도대체 무슨 말인감요?"

"1990년대 까지만 해도 치우천왕은 황제한테 대든 오랑캐라며 몇 천 년 동안 업신여겼는데, 이제는 황제와 함께 자기 조상이라고 모셔놓았어."

"예? 왜 그런감요?"

"중국에서 새로 발견되는 가장 오래된 유물들이 동이족의 것이었거든. 그냥 놔두면 자신의 시조를 설명할 때 초라해지잖아."

"그렇더라도 어떻게 조상을 바꿀 수가 있남요?"

"그뿐 아니라 치우천왕이 고구려·북부여·고조선의 조상인 구려국의 천왕이잖아."

"그건 또 무슨 말인감요?"

"그래, 넌 잘 모르겠지만, 언제부턴가 고구려가 중국이라고 우기고 있잖아. 그래서 치우를 중국의 시조라고 해 놓으면 고조선부터 고구려까지 옴싹 중국의 역사가 되는 것이니까."

도깨비대장은 잔뜩 얼굴을 구기

산동성 가야현

며 물었어.

"우리나라는 조상님을 빼앗기고 있는데 뭐하고 있남요?"

나는 또 말문이 막혔지만 말은 해줘야 하잖아. 지금 일어나고 있는 일이니까.

"글쎄, 우리나라에서는 웬일인지 아무 말도 않고 있네! 학자들은 대부분 지금까지 우리가 이야기한 건 역사가 아니라하고 말야!"

"예? 그럼 중국에서 하고 있는 일은 허깨비 놀음을 하고 있단 말인감요?"

난 도깨비대장을 마주보기가 머쓱했어. 그래도 말이 나온김에 해줘버려야 할 것 같았어.

"여러 가지 까닭이 있겠지만 가깝게는 우리나라 역사학자들이 일제강점기 때 조선총독부에서 우리역사를 왜곡시켜 만들어준 책으로 공부를 한 까닭이겠고, 멀리는 조선시대 내내 요서율이라고, 중국역사보다 앞선 책을 쓸 수없게 했고, 이미 쓰여진 역사책은 모두 모아다가 불태워버린 까닭이겠지."

도깨비대장 눈이 이글이글 타올랐어.

"그래서 우리나라에서는 치우천왕 역사책이 하나도 남

아있지 않단 말인감요?"

"웬걸, 그 많은 책을 없앨 순 없었지. 『규원사화』란 책도 남았고, 『한단고기』란 책도 남았는걸."

"그럼 된 게 아닌감요?"

"헌데, 우리나라 학자들이 인정을 안 해주네!"

"그건 또 무슨 말인감요?"

"아마, 자신들이 배운 내용과 차이가 나서가 아닐까?"

"그 일본에서 만들어준 역사책하고 비교해서 말인감요?"

가만 보니 내 잘못도 아닌데 도깨비대장이 날 다그치고 있었어.

"이봐! 도깨비대장, 내가 그런게 아니라고!"

"나도 주인님한테 따지는 게 아니구먼요. 그래도 궁금한 게 있는뎁쇼."

"알았으니 말해봐."

"그럼 중국에는 치우천왕에 대한 역사책이 없는감요?"

"무척 많지. 사마천의 『사기』부터 『산해경』·『술이기』 등 수없이 많지."

"그럼 됐네요. 그 책을 우리조상님 책으로 하면 되지 않남요?"

"그럴 순 없어."

"왜 그런갑쇼?"

"조금 전에 말한 것처럼 그 역사책은 중국 사람들 입장에서 썼으니 치우천왕을 나쁘게 써놨거든."

"참 답답하구먼요. 우리나라 학자들은 중국 역사책도 인정하지 않남요?"

"거기에 대해선 아무 말도 안하고 있지만, 인정하고 있을 걸!"

도깨비대장은 한숨을 크게 한번 쉬더니 나를 바라보며 말했어.

"주인님 누가 뭐라고 하든, 역사책을 한권씩 다 뒤져서라도 우리 조상님을 찾아놓을 거구먼요."

나는 고개가 끄덕여 졌어. 사람보다 낫다, 생각되었거든. 난 내가 정리해 놓은 치우천왕 사료를 꺼내왔어.

"치우천왕에 대해 중요한 것만 정리해 놓은 게 있는데 봐 볼 거야?"

"물론입죠, 주인님!"

도깨비대장은 널름 받아갔어.

2. 치우천왕_중국 측 사료

『술이기(述異記)』임방(任昉)

치우씨 형제 72인이 있었는데 구리머리에 쇠이마를 하였고 돌과 쇠를 먹었다. 헌원은 치우를 탁록의 들에서 죽였다. 치우는 사람의 몸에 소발굽을 하였고, 4개의 눈에 6개의 손을 가졌다. 진한간이 말하기를 치우씨는 귀에 검극을 달고 머리에 뿔이 있는데, 헌원과 싸울 때에 뿔로 사람을 맞닥뜨리니, 사람이 제대로 달려들지 못했다. 한무제 때 태원에 치우신의 모습을 그린 그림이 있었는데 거북이 다리에 뱀머리였다.

『태평어람(太平御覽)』

·야련을 시작한 사람은 치우다(권833)

·황제가 섭정을 하기 전에 치우의 형제 81인이 있었다. 모두 짐승의 몸에 사람의 말을 하고 구리머리에 쇠이마를 하였는데 모래와 돌을 먹었다.(권73)

·태백음경(太伯陰經)을 보면, 치우는 "쇠를 녹여 병기를 만들고 가죽으로 갑옷을 만들었다"고 했다.(권33)

『사기』 사마천

·관자는 '치우가 로산의 금을 얻어 다섯가지 병기를 만들었으니 보통사람은 아니다.' 고 하였다.

·헌원은 창과 방패 등 무기의 사용을 익혀서 신농씨에게 조공을 바치지 않는 제후들을 정벌하였다. 그 결과 모든 제후들은 헌원에게 복종하였으나, 치우만은 포악하였으므로 헌원도 그를 토벌할 수 없었다.

·치우가 난을 일으키며 황제의 명을 듣지 않자, 이에 황제는 제후들로 군대를 징집하여 탁록에서 사로잡아 죽였다.(오제본기)

·응소가 말하기를 '치우는 옛날 천자의 호' 라고 하였다.

·병주(兵主)는 치우에게 제사 지낸다.

·공안국은 '구려의 임금을 치우라고 부른다.' 고 하였다.

『로사(路史)』

·판천씨 치우는 강씨 성으로 염제의 후예이다. 군사로 난을 일으키는 것을 좋아했다. 제를 따라서 탁록에 살면서 봉선을 하고 호를 염제라 하였다.

·치우가 다섯 병기를 만들었는데, 과,모,극,추모,이모이다.

·(치우전) 중국고대 주 은 시대 도철의 정체는 치우다.

『산해경(山海經)』

치우가 군사를 일으켜 황제를 토벌하였다. 황제가 응룡에게 명하여 기주의 들판에서 공격하였다. 치우가 풍백 우사에게 청하여 바람과 비를 일으키니 황제는 발이라는 천녀에게 명하여 비를 멈추게 하고 이어서 치우를 살해하였다.

『상서(尙書)』

구려는 치우의 무리인데 치우가 죽은 뒤 천하가 어지러워지자, 황제는 치우의 형상을 그려서 천하에 보이니 그제야 천하의 모든 사람들이 복종하였다.

『일주서(逸周書)』

·치우는 유망에 이어 스스로 황제로 세우니, 호를 염제라 하였는데 역시 판천씨이다.

·적제를 추격하여 탁록의 들에서 싸우니 사방에 남은 것이 없었다. 적제가 크게 놀라 황제에게 말하여 치우를 잡게 하니, 황제는 치우를 중기에서 죽였다.

『포박자(抱朴子)』

·헌원은 동쪽으로 청구까지 와서 풍산을 지나면서 자부 선생을 만나고 삼황의 내문을 받아서 만신을 부릴 수 있게 되었다.

·한나라 유방이 풍패에서 군사를 일으킬 때 치우씨에게 제사를 모셨다.

『진 천문지(晋 天文誌)』

치우기는 혜성과 같은 데 뒷부분이 굽어서 마치 깃발과 같다. 이 별이 보이는 곳의 아래에 군사가 있다. 이는 치우천왕을 위로하여 하늘의 별자리로 삼은 것이다.

『제왕세기(帝王世紀)』

신농씨가 쇠퇴하자 치우가 반란을 일으켜 제왕의 명령을 듣지 않았다. 황제는 덕으로 다스리고 백성을 어루만지니, 제후들이 모두 신농을 배반하고 황제에게 귀복하여 치우씨를 토벌하자고 하였다. 탁록의 들판에서 치우를 사로잡았다.

3. 치우천왕_한국 측 사료

『한단고기(桓檀古記)』계연수

* 삼성기(신라승려 안함로) 단군세기(고려말 이암) 북부여기(고려 범장) 태백일사(조선 이액)를 정리한 책

·동두철액을 하고 능히 큰 안개를 일으켜 온 누리를 다스렸고, 광석을 캐고 철을 주조하여 병기를 만드니 천하가 모두 그를 두려워하였다. 세상에서는 치우천왕이라 불렀으니 치우란 속된 말로 우뢰와 비가 와서 산과 강을 크게 바꾼다는 뜻을 가진다.

·황제 헌원이 일어나자 즉시 탁록(涿鹿)의 벌판으로 나아가서 황제 헌원을 사로잡아 신하로 삼았다.

·환인·환웅·치우를 삼황이라하며, 환웅을 대웅의 천이라 하고, 치우를 지위의 천이라 하는데 이는 황제 중경에서 유래된 것이다

·헌원은 10년 동안 치우와 싸우기를 73회였으나 늘 졌으므로 원한은 더욱 커졌다. 헌원은 신시(치우)를 본 따 병기와 갑옷을 만들고 또 지남차를 만들어 감히 출전하였으나 치

우가 한 무리를 마구 죽여 버린 후에야 비로소 멈췄다. 이 싸움에서 치우 쪽 장수 가운데 치우비라 하는 자가 공을 서둘다가 불행하게도 진중에서 죽게 되었다. 〈사기〉에서 말하는 '치우를 잡아 죽이다' 라고 기록한 대목은 아마도 이를 말하는 것인 듯하다.

·천주로서 삼신에 제사하고 병주로서 치우를 제사하였다.

『규원사화』북애노인 / 1675년

·치우씨는 하늘을 돌게 하는 힘과 바람과 번개와 구름과 안개를 능숙하게 부리고 칼·창·큰 활·큰 도끼·긴 창을 만들어서 초목과 날짐승·길짐승·벌레·고기 따위를 다스리게 하였다.(태시기)

·이(夷)는 큰 활(大弓)을 말하는 것인데, 치우씨가 칼과 창과 큰 활을 만들어 중토의 여러 족속들은 대단히 두려워하여 간담이 서늘하다는 소문이 난지 오래다. 때문에 우리 겨레를 '이' 라고 한다. 이에 우리 계례를 '이' 라고 하고 큰 활을 쏘는 동쪽사람이란 뜻이다.

·치우는 황하의 이북 땅에서 병사를 일으켜 출정하였으나 형제와 종실가운데 81명의 부장을 선발하여 군사를 통솔

하게하고 갈로산에서 쇠를 캐어 칼이나 갑옷과 창을 만들어 탁록으로 출정하니 그 형세가 마치 비바람 같아서 천하에 그 위세를 떨치었다.

·헌원이란 자가 치우씨가 제위에 올랐다는 소식을 듣고 대신 제위에 오르고자 군사를 일으켜 대항하였으나 치우씨가 큰 안개를 일으켜 적군으로 하여금 마음이 흐려지고 손발이 떨리게 하니 급히 달아나 겨우 목숨을 부지하였다.

·《운급헌원기》에 치우씨가 처음으로 갑옷과 투구를 만들어 쓰니 사람들이 보기에 구리머리에 쇠이마를 가진 사람으로 여겼다.

·《한서·지리지(漢書·地理誌)》에 의하면 그의 묘가 동평군(東平郡) 수장현(壽張縣)의 감향성(闞鄕城) 안에 있다 하며 그 높이가 다섯 장(丈)이라 한다.

·진(秦)나라와 한(漢)나라 때의 주민들이 한결같이 10월에 제사를 지내면 반드시 붉은 기운이 있어 한 폭의 진홍빛 비단과도 같이 솟아오르니, 백성들이 이를 일컬어 '치우기(蚩尤旗)'라 하였다.

·치우형제들이 모두 유청의 땅에 영원히 거처하며 그 명성과 위세가 계속되었기에 황제는 세상을 다 할 때까지 편안

하게 베개를 높여 베고 누운 적이 없었다.

《사기》에 이른바 「산을 헤쳐서 길을 내어도 편안하게 기거하지 못하고, 탁록에 도읍만 정하고서 이리저리 옮겨 다니며 한곳에 거처하는 곳은 없었으며, 군사와 병졸들로 진영을 호위하게 하였다」고 한 것은 황제의 전전긍긍해 하는 마음을 역력히 볼 수 있는 대목이다.

·한나라 고조가 풍패에서 군사를 일으킨 후에 치우에 제사 지내니 북과 깃발에 상서로운 기운이 감돌았다. 드디어 10월에 패상에 이르러 제후들과 함께 함양을 평정하고 한나라 왕이 되었다. 이때부터 10월을 새해의 시작으로 했다.

·『진서』천문지에 "치우의 깃발을 닮은 혜성 꼬리의 구부러진 방향으로 가보면 적병이 반드시 있었다"고 했다. 이것은 치우씨가 별 중에서도 윗자리별이 된 것이라 하겠다.

『연려실기술』 별집 제4권 사전전고 이긍익 1738~1806

영종 기사년에 우역(牛疫)의 〈전염이 심하여〉 전관목장(箭串牧場) 안에 단을 쌓고 선목에 제사를 지냈다. 마제단(祭壇)은 동북교(東北郊)에 있으며, 치우신(蚩尤神)을 향사하였는데, 강무(講武)하기 하루 전날에 제사를 지낸다.

『청장관전서』 제53권, 이목구심서 이덕무 1795년(정조 19년)

치우(蚩尤)가 군사를 일으켜 황제(黃帝)를 치니, 황제가 응룡(應龍)을 시켜 공격하게 했다. 치우가 풍백(風伯)·우사(雨師)에게 큰 비바람을 불러일으키게 하니, 황제가 발(魃 가뭄의 신)이라고 하는 천녀(天女)에게 비를 그치게 하고 마침내 치우를 죽였다.

『대동야승』 편자 및 연대 미상

북극(北極)에 치우기(雉羽箕)가 나타났다.

『성호사설』 성호 이익

- 검은 비단으로 치우(蚩尤) 머리와 같이 만들어서 군사가 출발할 때에 도(纛)에 제사 지내는 것이고.
- 관자(管子)는, "황제(黃帝)가 치우(蚩尤)를 얻어 천도(天道)를 밝혔다" 하였다. 치우는 바로 황제의 신하로서 난리를 일으켜 베임을 당한 자이다. 그러나 관자의 설이 이와 같으니, 혹시 처음에는 재능으로 등용되었는데 그 일을 마무리 짓지 못해서인가? 또 혹시 치우는 나라 이름인데 그 임금이 선악의 구별이 있었던가 알 수 없는 일이다.

『단기고사檀奇古史』대야발 발해 729년 편찬

치우(治尤)는 이마가 쇠처럼 강하고 안개도 일으켰다. 그 때에 자부선생 밑에서 함께 공부하던 황제가 공연히 염제의 왕위를 빼앗는 것을 보고 의분을 참지 못하여, 황제와 탁록 들에서 싸웠는데, 후원병이 오지 않아 황제에게 사로잡히게 되었다.

다 읽어본 도깨비대장이 빙긋이 웃으며 말했어.

"주인님, 우리나라 자료도 이렇게 많이 있는데 무슨 문제가 있남요?"

"많으면 뭘 해. 좀 전에 말했잖아. 우리나라 학자들이 이 자료를 인정하지 않는다고."

도깨비대장은 얼굴을 찌푸리며 퉁부리는 소리를 냈어.

"이나저나 치우천왕은 있는 거 아닌갑쇼?"

"어쨌든 사료를 보면 있는 게 맞는 거 같아."

"그런데……."

도깨비대장이 고개를 갸웃거리더니 말을 이었어.

"치우천왕이 우리 도깨비 시조라는 근거는 있는갑쇼?"

도깨비 토우

넷.

도깨비 족보 만들기

1. 치우천왕이 도깨비 시조란 근거

"나도 그게 가장 큰 의문이야."

"어이쿠, 주인님!"

도깨비대장이 털푸덕 주저앉으며 실망을 했어. 치우천왕에 커다란 기대를 하고 있었나봐. 난 도깨비대장을 위로해 줬어.

"너무 그렇게 힘 빼지마. 4700년 전에 일어났던 일이라 똑부러지는 근거는 없지만 많은 사람들이 치우천왕을 도깨비 조상이라고 주장하고 있으니까. 자! 힘내고 일어나서 내 주장을 들어봐. 내가 찾아낸 치우천왕이 도깨비란 근거 첫째!"

나는 쭉 여덟 가지를 설명했어.

(1) 우리나라 씨름과도 같은 경기를 중국에서는 치우희라고 하며 소뿔을 쓰고 경기를 한다. 우리나라에서는 씨름을 각저희라고 하며 소를 걸고 겨룬다.

각저(角牴)란 소뿔을 맞대고 싸우는 모습을 형상화한 것이다. 즉 도깨비가 씨름을 좋아하는 까닭이며, 씨놀음으로 건장한 남자에게만 씨름을 걸어오는 까닭이며, 도깨비뿔이 생산성을 상징하는 소뿔임을 추정할 수 있다.

중국 <무도사>에 나오는 치우희

고구려 각저총의 고분벽화 각저희

* 각저총 그림에 나타나는 나무는 우주목으로 신과 교류를 뜻한다.

(2) 기와지붕의 용마루를 지키는 망새라는 장식을 치미라고하며 치우의 이름이 도깨비기와로 이어져 왔다.

황룡사 치미

(3) 진도 진안 등 도깨비굿에서 보듯이 도깨비는 여성에게 힘을 못 쓴다. 이는 치우와 황제의 전투에서 황제가 패할

때마다 여성부족에게 가서 도움을 청할뿐더러 치우가 풍백 우사를 시켜 큰비와 바람을 일으키자 황제는 천녀 발에게 비를 멈추게 한다.(북방유목민족과 남방 농경민족의 부계중심사회와 모계중심사회를 연계시켜 볼 수 있다.)

(4) 탁록대전(치우와 황제의 전투)이 일어났던 탁록현(중국)의 도깨비기와 문양이 우리나라 기와 투구 등에 나타난 도깨비 문양과 흡사하다.

고려 수막새

중국 탁록현 기와

(5) 규원사화에 언급된 치우가 만들었다는 창과 도끼가 국보 제10호 3층석탑 탑신에 그 형상이 새겨져 있다.

(6) 우리나라는 신과 사람의 중간자에게 모두 도깨비란 이름으로 부른다. 훗날 치우는 신성시되며 화재 역병 등

재액을 지켜내는 역할을 하게 된다.

(7) 일본 미술사와 중국 민속학자뿐만 아니라 우리나라의 재야 사학자들도 치우가 조선의 도깨비라고 주장하고 있다.

(8) '도설 중국도승'에서는 도철이 치우문양이며 중화조선 치우상이라고 하여 도깨비임을 말하고 있다.

내가 설명하는 동안 도깨비대장은 고개를 끄덕이며 듣더니 골똘히 생각에 빠졌다가 물었어.

"그렇담 우리 시조님 말고 다른 조상님은 또 없나요?"

"왜 없겠어 이걸 봐봐."

2. 협의의 도깨비 문헌족보

난 정리해 놓은 협의의 도깨비 문헌 족보를 도깨비대장에게 넘겨줬어.

도깨비대장은 기대에 가득 찬 눈빛으로 펼쳤고.

일련번호	근거문헌	시기	내용	비고
1	유양잡조 酉陽雜俎	9 세기	신라의 김가라는 귀족의 먼 조상이야기다. 가난한 방이가 살았는데 동생에게 누에와 곡식 종자를 부탁하자 동생은 방이에게 쪄서 주었다. 그럼에도 누에 한 마리가 살아나자 그것마저 동생이 죽였으나 수많은 누에가 방이 집으로 기어들어왔다. 곡식종자도 하나가 싹을 틔웠으나 이삭을 새가 물고 달아났다. 방이가 따라가다가 어두워져 바위 아래 자리를 잡았는데 빨간 옷을 입은 어린이(小兒赤衣)들이 쇠 송곳을 바위에 두드리자 술, 떡, 고기가 쏟아져 나왔다. 방이는 어린이들이 송곳을 돌 틈에 끼워놓은 걸 가져와서 부자가 되었다. 동생도 형을 흉내 내다가 도둑으로 몰려 코가 한 장으로 늘어나 코끼리처럼 되었으나 그 뒤 갑자기 죽고 말았다. * 도깨비방망이류의 이야기는 신라의 것이라는 기록이 남아있고 이 근거로 최초의 방망이 설화로 추정한다.	중국 당나라 단성식(?~863)의 수필집
2	삼국유사 진평왕조	13 세기	비형이라는 귀신(도깨비) 두목이 하룻밤 사이에 신원사 도량에 큰 다리를 놓아 다리 이름을 귀교(鬼橋)라 하였다. 비형은 신라 25대 진지왕의 귀신과 도화녀의 아들이다. * 사람과 귀신의 중간자적 존재이므로 도깨비로 추정한다.	고려후기(1281~1283) 고려 충렬왕 때 보각국사 일연이 지은 역사서
3	사이매문	14 세기	기의 융합이다. 이매라고 표현, 귀도 아니요, 유도 명도 아니다.	고려후기 정도전

일련번호	근거문헌	시기	내용	비고
4	석보상절 釋譜詳節	15 세기	도깨비를 청하여 목숨과 복을 기원하다가 나중에 얻지 못하니 (돗가비 請ᄒᆞ야 복을 비러 모숨길 오져ᄒᆞ다가 乃終내 得ᄒᆞ노니) * 돗가비란 말이 처음 사용된 문헌으로 신앙이었다는 유일한 글	조선 세종 1447
5	월인석보 月印釋譜	15 세기	망량은 돗가비다. 돗가비는 잡신이다.	조선세조 (1495)
6	신동국 여지승람	15 세기	목랑, 비형, 두두리(삼국유사 비형랑 설화에서는 두두리를 귀라고 표현하였음)	조선중종 1481 이행, 홍언필
7	용천담적기	16세 기 초	사람을 홀리는 요괴 (귀라고 표현)로 돌을 던지거나, 도깨비불이 여자 몸에 붙어 임신을 시켰다.	중종때 문신 김안로 (1481~1537) 야담집
8	용재총화 慵齊叢話	16세 기 초	·용재총화를 쓴 성현(成俔)의 안부윤(安府尹)이 젊었을 적 이야기다. 어린 종을 데리고 말을 타고 서원(瑞原)별장으로 가는 도중에 밤이 되었다. 사방을 둘러보아도 사람이라곤 없더니 동쪽 현성 쪽에서 횃불이 비치고 떠들썩하여 사냥을 하는 것 같았다. 그 기세가 점점 가까워지면서 좌우를 빙 두른 것이 5리나 되는데 빈틈없이 모두 도깨비불이었다. 공이 나아가지도 뒤돌아서지도 못하고 어찌할 바를 몰라 오직 말을 채찍질하여 앞으로 7~8리를 나아가니 도깨비불이 모두 흩어졌다. 하늘은 흐려 비가 조금씩 부슬부슬	성현1592 (중종20) 수필집

일련번호	근거문헌	시기	내용	비고
8	용재총화 慵齊叢話	16세 기 초	내리는데, 길은 더욱 험해졌다. 그러나 마음속으로 귀신이 도망간 것이 기뻐 공포심이 진정되었다. 다시 한 고개를 넘어 산기슭을 돌아 내려가는데 앞서 보던 도깨비불이 겹겹이 앞길을 막았다. 공이 칼을 뽑아 크게 소리치며 나아가니 그 불이 일시에 흩어지며 우거진 풀숲으로 들어가 손바닥을 치며 크게 웃었다. 공은 별장에 도착하여서도 마음이 초조하여 창에 의지한 채 어렴풋이 잠이 들었는데 비복들은 솔불을 켜놓고 앉아서 길쌈을 하고 있었다. 공은 불빛이 켜졌다 꺼졌다 함을 보고 큰소리로 "이 귀신들이 또 왔구나!"하며 칼을 들고 치니 좌우에 있던 그릇들이 모두 깨지고 비복들은 겨우 위험을 면하였다. ·밤은 성스러움이고 음지이며 습한 것이다. 바위나 나무 같은 자연물이 도깨비로 둔갑하여 사람을 홀린다. 한낮에는 숨어 있다가 해가 지면 슬그머니 나와 길손을 유인한다. ·솥 안에 똥을 가득 넣어두며, 밥통을 공중에 던지고, 큰 가마를 공중에 으르다가 손뼉을 치는데 소리가 큰 종과 같았다. ·솥 안에 뚜껑을 집어넣었다. ·허리 윗부분은 안보이고 다리 하나가 말라 살이 없으며 검은 옻칠을 한 것처럼 광택이 나고 키가 매우 커서 상반신은 구름에 가려 잘 보이지 않는다.	성현1592 (중종20) 수필집

일련번호	근거문헌	시기	내용	비고
9	어우야담 於于野談	17 세기	고려가 무너진 뒤, 송도에 빈집이 있었는데 도깨비가 나온다하여 아무도 그 집에 살려하지 않았다. 어떤 상인이 그 집을 싸게 샀는데 절구질을 할 때마다 벽에서 소리가 나기에 벽을 허물어보니 온갖 금은보화가 있었다. * 도깨비불을 귀화라고 표현했다.	광해군 (1622) 유목인 야담
10	계축일기 癸丑日記	17세 기 초	'독갑이' 이름 나옴	궁중비사
11	역어유해 譯語類解	17세 기 말	'독갑이' 이름 나옴	숙종 16년 김경준, 김지남 등
12	해동잡록 海東雜錄	17세 기 말	창손(昌孫)이란사람은 정승벼슬을 20년이나 한 사람으로 지금은 90세가 되었다. 어느 날 갑자기 자기 집에 요괴가 출몰하였다. 어디선지 돌이 날아오는 것이었다. 나는 새도 떨어뜨린다는 권세가인 창손의 집인데 감히 누가 이런 짓을 하겠는가 하고 그는 재빨리 지붕에 올라가 귀와(鬼瓦)를 불에 태웠다. 그러자 요괴가 다시는 나타나지 않았다.	조선인조 권별 (1589~1671) 저술, 왕조별 인물사 전류
13	성호사설 星湖僿說	18 세기	·귀는 음(陰)의 영(靈)이고 신은 양(陽)의 영이라고 보았다. 이익은 음양이 하나이기 때문에 귀와 신도 하나라고 보았다. 그는 자연의 영기가 모여서 도깨비가 만들어졌고, 도깨비에 대해서 이렇게 말했다. 추측건데 큰물이 져서 산이 무너지고	1740, 이익의 조카들이 이익과 제자들의 질문과 답을 정리한 내용

일련번호	근거문헌	시기	내용	비고
13	성호사설 星湖僿說	18 세기	언덕이 없어졌다는 그 시대에, 사람과 귀신이 서로 뒤섞이게 되었다면 사람을 해치는 도깨비들도 많았을 것이다. 그중 사람에게 제일 걱정이 되는 것은 이매망량이란 것인바 공자도 이르기를 '나무와 돌로서 괴상한 짓을 하는 것이 기와망량이다.'라고 하였다. 대제 이 망량이란 따위는 나무로 괴상한 짓을 하는 것이 많다. ·민속으로 치우를 수호신으로 여기고 있으며 이순신의 난중일기에도 치우 사당에 제사를 지낸 기록이 있다. ·도깨비를 '독각귀'라고 표현 했다. ·사람이 자주 사용한 물건에도 기가 스며있어 그 물건이 쓸모없이 되어버리면 기가 응결하고 귀가 붙어 도깨비가 된다. 기는 사람뿐만 아니라 사물에도 있어 만물이 모두 귀를 낳을 수 있다.	1740, 이익의 조카들이 이익과 제자들의 질문과 답을 정리한 내용
14	청장관 전서	18 세기	청장관전서(靑莊館全書) 68권에 망량방축(魍魎防築)이란 말이 나온다. 이는 섬진강 도깨비살을 충정공 마천목장군이 어렸을 때 도깨비들을 부려 둑을 쌓았다는 이야기다. * 그러나 이 글에서는 도깨비살을 곡성의 섬진강이 아니라 전북 임실 오원으로 잘못 기록하고 있다.	이 덕 무 (李德懋) 1741~1793
15	계서야담	19 세기	도깨비라고 표현(夜來者 설화)	이희준 (1772~1839) 의 야담집

도깨비대장이 뒤적거리다 물었어.

"이걸로 보면……. 우리 도깨비들이 신라부터 나온뎁쇼. 그 이전은요?"

"문헌은 더 이상 못 찾아냈으니, 나도 모르지."

"주인님도 참! 우리시조는 4700년 전인데 그 뒤로 3500년 동안이나 조상님의 이야기가 빠져 있어 어디 족보로 쓸 수 있겠남요?"

"그러니까 더 연구하고 찾아내야 할 일이지."

"그런데 말입죠?"

도깨비대장이 고개를 갸우뚱 젖혔어.

"치우란 이름에서 어떻게 도깨비란 이름이 나오남요?"

"그것도 수수께끼 같은 거야. 도깨비란 이름은 허주·망량·이매·독각귀부터 귀것·영감·물참봉·김서방 등으로 쓰이다가 우리 한글이 생긴 뒤에야 『월인석보』와 『석보상절』에서 돗가비라고 쓰였고 그밖에도 도채비·돛재비·독갑이·도재비 등으로 쓰였는데 도깨비를 연구하는 몇몇 사람들이 이렇게 주장을 하지."

3. 도깨비 어원표

주장자	어원	비고
문무병	돗구(절구공이)+아비(남자) / 절구공이를 은유해서 생긴 말	
김종대	돗+가비/ 돗은 불이나 종자 +아비는 아버지로 풍요를 관장하는 남성으로 부와 생산능력을 상징	
박은용	두두리 / 두두리는 돗구(절구) + 아비	신증동국여지승람의 비형랑 설화에서 두두리라고 부른다.
서정범	돗+아비, 돗은 도섭의 원형으로 수선스럽고 능청맞게 변덕을 부리는 뜻을 가짐.	
김성범	도치(도끼) +아비 〉 도최비〉 도채비 〉 도깨비	국보10호 + 규원사화+ 도철

* 그 밖에도 대장간(재련소)의 불을 관장하는 도가니아비에서 이름이 왔다는 주장을 한다. 일본에서도 광산의 재련소에서 일하는 사람의 모습에서 오니의 모습이 왔다는 설이 있다.

도깨비대장은 눈을 똥그랗게 뜨고 물었어.

“그러니까 주인님은 우리 도깨비이름이 도끼에서 나왔다는 말입죠?”

"말할 필요 없이 이걸 봐!"

난 국보 10호, 3층석탑 탑신에 희미하게 새겨진 도깨비 복원상을 보여줬어.

"어때 늠름하지!"

"예, 우리 도깨비를 대표 할 만하구먼요."

"난 이 도깨비를 보고 도깨비 이름을 생각해 냈어."

난 복원상을 가리키며 설명했어.

"도끼의 방언은 도치인데, 도치는 제주도 전라도 경상도 충청도까지 널리 쓰였지. 그러니까 도치를 든 아비〉 도치아비〉 도채비〉는 돗귀+ㅅㅏ 비〉도채비가 된 거야. 공교롭게 도채비는 제주도 전라도 경상도까지 널리 쓰였던 도깨비의 또 다른 이름이지 어때, 그럴듯하지?"

"그런 것도 같구만요."

"그것만 있는 건 아냐. 치우를 형상화 한 도철문양이 도끼에 많이 새겨진 까닭에 '도'

복원상_ 김성범

국보 제10호_ 백장암 3층석탑 탑신부조
(문화와나 2002)

가 함께 어우러져 더욱 자연스럽지. 사료에서도 찾아볼 수 있고. 규원사화에서는 치우가 긴 창과 큰 도끼를 만들어 사람들에게 보급하였다고 기록되어 있어. 어때 저 도깨비상이 규원사화에서 말한 치우천왕같지 않아?”

“예, 그렇구먼요. 저렇게 늠름한 분을 사람들은 왜 함부로 대하고 있습죠?”

“처음부터 그런 건 아냐. 치우천왕을 오랑캐라고 여겼던 중국에서도 전쟁신으로 모셨고, 우리나라에서도 예전에는 어엿한 신으로 모셨다니까.”

“예?”

도깨비대장은 눈을 커다랗게 떴어.

도깨비 천왕_ 김성범

다섯.

도깨비는 신앙이었대

1. 지역별 신앙의 모습

도깨비대장은 온몸을 부르르 떨며 기뻐서 어쩔 줄 몰라 했어. 덩치도 커다란 게 제법 귀여운 척 하며 말야.

"맞아요, 이제야 알아냈구먼요."

"뭘?"

"지나던 사람들이 나한테 먹을 것도 주고 두 손을 모아 절을 하는 게 너무 송구스러웠는데, 다 이유가 있었구먼요."

"너도 이제부터라도 절만 받을 게 아니라 신처럼 의젓한 모습을 보여야지."

"주인님, 주인님! 우리가 어떤 신이었남요?"

도깨비대장은 무척이나 신이 났어. 목을 나에게 쭉 내밀고 말야.

"우리 동양 사람들이 신상을 모신 건 4~5천 년 전 부터일거야. 도깨비 시조인 치우도 당연히 그 중심에 서있었고. 중국의 상, 주 시대에는 치우를 벽사 신으로, 제나라는 군신으로 숭배했지. 한나라의 유방도, 진시왕도 전쟁 전에는 늘 치우에게 제를 올린 다음에 전쟁터로 나갔다고 해."

도깨비대장은 대답도하지 않고 눈을 빤짝였어. 내가 숨을 내쉬어야만 함께 내쉬면서 말야.

"그뿐 아니라 치우는 철을 잘 다뤘기에 대장장이 신으로 받들어 모셔지기도 했지. 하지만 점차 중국에서는 자신들의 조상이 아니었던 까닭에 악신으로 그려지지. 중국 황제를 73차례나 이긴 반란자로 취급받으면서 말야. 그것만이 아니야. 불교가 들어오면서는 지옥졸이 되었다가 끝내 사천왕에게 짓밟히는 신세가 되기도 하지.

도깨비대장은 얼굴을 찡그렸어.

보물 제 318호_ 사천왕에게 짓밟힌 지옥졸의 모습

"그렇다고 너무 실망하지마. 너희들은 여전히 도깨비 기와로 이어져 사람들이 무서워하는 귀신이나 재액을 지켜내는 일을 하고 있으니까."

도깨비대장은 미심쩍은 눈빛을 보냈어.

"자, 네가 이 표를 훑어봐."

난 우리나라에서 도깨비의 신앙과 관련해서 정리해 놓은 표를 도깨비대장 앞에 내밀었지.

■ 지역별 신앙의 모습

신역	지역	내용	시기	비고
역신 / 기우제	진 도	가뭄과 돌림병이 돌아 굿판으로도 소용없게 되면 동네 여성들이 여성의 속곳을 대나무에 걸쳐들고 꽹과리와 징을 치며 동네를 샅샅이 돌아다녔다.	가뭄과 돌림병이 돌때	남성들은 참여 못함
돌림병	순창 탑리	순창과 전주를 잇는 나들목으로 당산제를 지낸 이틀 뒤에 여성들만으로 구성된 풍물패들이 이동하여 제를 지냈다.	정월 보름 이틀 뒤인 17일	돌림병 예방
화재신	임실군 관촌면 상월리	여성이 주도한 농악대가 마을을 돌며 굿거리를 하였다. 농악대가 집집이 돌아다녔고 음식은 제기 없이 차려놓았다.	정월 7일 준비/ 9일 제를 지냄	풍운우를 관장하는 치우 관련

신역	지역	내용	시기	비고
화재신	진안 백운면 반송리	팥 시루와 술 메밀묵으로 고사음식을 차려놓고 여성들이 한바탕 노는 것으로 축문 등의 형식적인 것은 없다.	정월 16일	처녀는 참석 못함
화재신	임실군 관촌면 구암리	여성주도하에 축문 없이 절을 세 번하나 남성들도 참여하여 풍물굿을 한다.	음력 10월 30일	
재물신	제주도	대장간을 하는 송씨 성을 가진 사람이 진도 벽파진에서 도깨비를 모시고 제주도로 이사를 가 집안에 모셨다. 부자가 되게 해 주었으나 사람들이 그 딸과 혼인하기를 꺼렸다. 잘 모시지 않으면 하루아침에 재물을 빼앗아 갔기 때문이다.	집안에 모심	
대장간신	제주도	대장간(야장신冶匠神)은 철기문화의 흔적으로 보인다.	일 상	치우도 대장간 신으로 모셔진다.
질 병	제주도	여성이 병에 걸렸을 때 무당이 도깨비 형제들은 불러들여 잘 먹인 뒤 여성 몸에 들어온 도깨비를 데려가도록 하는 굿이다. 이를 영감놀이라고 한다. 즉 한상 차려주면 도깨비들이 마시고 즐기다 간다. * 본풀이는 신화를 뜻하며 도깨비의 변화무쌍한 모습을 볼 수 있다.	여성, 특히 해녀가 병에 걸렸을 때	정3품이나 종2품 당상관 호칭인 영감대우 받는다.
풍어신	서해안 중심	갯가에 간단하게 밥덩이나 떡, 메밀죽, 메밀범벅을 등을 물가에 뿌리거나 차려놓는 덤장고사를 지냈다.		

신역	지역	내용	시기	비고
농사신		간단하게 음식을 차려놓는다.	매년 2월 초하룻날 /중굿날	
벽사 (지킴이)	전 역	도깨비기와, 문고리 등 양반을 중심으로 한 일상생활에서 지킴이로서 도상으로 나타난다.		치우천왕이 풍운우를 관장한 것과 관련
기타		·설화 등에서는 풍수지리나 미래를 예견하는 등 여러 가지 모습으로 나타난다.(풍수지리) ·이순신 일기에도 전쟁을 나가기 전 치우에게 제를 지냈다는 내용이 세 차례나 있다.(전쟁신) ·한 유방, 진시왕 등은 치우천왕을 전쟁신으로 제를 올렸다. ·석보상절에서는 도깨비가 수명과 복을 비는 대상이었음을 볼 수 있다. ·5월 5일 단오에는 치우의 부적인 적령부를 찍어 궐내에 붙이고 그 나머지는 사대부의 대문에 붙였다. 부적은 악의 기운을 막거나 호신부적으로 404종의 질병을 일시에 소멸시키기위한 부적이었다.(홍석모의 동국세시기) ·12월 22,23일 동짓날 치우의 상징색인 붉은 팥죽을 쑤어먹으며 삿된 기운을 물리쳤다.		

2. 석보상절

다 훑어보고 도깨비대장은 입맛을 다시며 물었어.

"지금도 제를 지내긴 한갑쇼?"

"그게 말야……."

난 우물쭈물 이야기를 해나갔어. 도깨비대장이 실망을 할 것 같아서 말야.

"신앙도 세월에 따라 변하기 마련이지. 상고시대에는 너희들이 최고의 신이었을 거야. 하지만 점점 뒤로 밀려나다가 삼국시대에 불교가 들어오면서 너희들은 부처님께 자리를 내줘야 했을 거야. 그렇더라도 통일신라의 유물을 보면 완전히 내쳐진 건 아니었을 거라고 봐. 화려한

석보상절　　석보상절 원문

도깨비기와를 봐도 그렇고 백장암 삼층석탑에 새겨진 도깨비가 제구인 방울을 목에 걸고 있거나 이마에 백호가 있는 것을 보면 그렇지. 그렇게 고려시대까지는 너희들 위치가 그런 대로 보장되었을 건데 조선시대에 유교가 들어오면서 불교가 밀려나자, 도깨비도 더욱 밀려나게 되면서 오갈 데가 없어지게 된 거지. 그러니 어쩌겠어, 할 수 없이 사람들이 사는 산 중턱이나 숲속 당집이나 폐허 같은 후미진 곳에 자리를 잡은 거야. 다시 말해 드디어 도깨비들이 서민들의 이야기 속으로 들어가 자리를 잡게 된 거지. 그렇더라도 『석보상절』을 보면 복과 수명을 비는 존재로는 남아 있잖아!"

3. 신앙의 성격변화

도깨비대장은 더욱 목소리가 퉁퉁 불었어.

"지금은요?"

"지금……도 별로 좋지 않아. 일제강점기 때 그나마 남아있던 도깨비굿까지 사라져 갔어. 일본에서 우리 문화와

1. 진도굿(문화와 나, 네오그라피)
2. 진도굿(네오그라피)
3, 4. 제주도 영감놀이
(문화원형 백과사전)
5. 구암리 도깨비제

정신이 깃들어있다고 생각했던가봐. 그래도 명맥을 유지지해 왔었는데 박정희시대에 들어오면서 미신타파운동을 벌이면서 도깨비들뿐만 아니라 우리나라 고유 신앙은 거의 사라지게 되었어."

"그러면 이제 도깨비굿은 완전히 없어졌남요?"

도깨비대장은 조금만 건들어도 울어버릴 것만 같았어.

"아니지 아니야! 제주도에서는 '영감본풀이' 라는 도깨비에게 바치는 굿으로, 당당하게 신화로 살아남아 있고 여기저기에서는 너희들을 살려내려고 부단히 힘쓰고 있지."

도깨비대장은 그나마 다행이라고 생각했는지 얼굴빛이 조금 돌아왔어. 하지만 여전히 퉁퉁 분 소리를 냈어.

"저희들이 풍어신, 농사신, 재물신이란 건 이해가 가는데, 돌림병도 그렇고 불도 우리가 낸 것처럼 보이네요?"

"난 너희들이 불을 내거나 돌림병을 가져왔다고 생각하진 않아. 대부분 도깨비고사를 여성들이 지내는 걸 보면 알 수 있지."

"예?"

도깨비대장 얼굴이 금시 멍청한 얼굴로 바뀌었어.

"너희들은 여성들한테 약하잖아."

"예?"

멍청한 얼굴을 넘어서서 울상이 되어갔어.

"너희들은 대부분 여성들 손아귀에 잡혔던 게 변신한 거잖아. 솥, 부지깽이, 빗자루, 절굿공이, 사발, 주걱, 조리, 챙이, 홍두깨 같은 거 말야."

"그래서요?"

"억울하겠지만 여성들한테 죄를 뒤집어쓴 거야."

"주인님, 도대체 무슨 말인지 알 수가 없는 뎁쇼."

도깨비대장은 아예 포기를 해버렸어. 난 빙그레 웃으며 설명했지.

"조선시대는 유교사회야. 남성들 중심사회지. 가뭄이 들고, 돌림병이 돌고, 불이 잦으면 먼저 남성들이 나서서 그럴싸한 대책도 세우고 제도 올리고 그랬겠지. 그러고도 아무런 효험을 못 봤을 때 하는 수 없이 여성들이 나선거야. 축문(제문)이든 뭣이든 형식적인 건 필요 없었어. 도깨비들이 좋아하는 시루떡하고 메밀묵하고 막걸리만 있으면 됐어. 동네 아낙들이 꽹과리고 솥단지 뚜껑이고 잡히는 대로 두드리고 속옷까지 대나무에 매달아 휘두르고 다녔어. 모든 것을 도깨비……너희들 탓으로 돌리면서 말야. 남자들은 뭐했냐고? 아무것도 해결하지 못한 주제에 낯짝이 있었겠어? 방에 틀어박혀 모른체하고 있어야 했지. 이나저나 이러고 나면 모든 문제들이 해결됐어."

"결국 우리 도깨비들이 해결했구먼요?"

난 장난기가 돌았어.

"모르지! 정말로 너희들 짓거리였는지도."

"무슨 말씀인갑쇼? 우린 절대 아닌뎁쇼."

도깨비대장이 눈을 부라

리며 대답했어.

"실은 너희들은 태어날 때부터 여성들을 무서워 할 수 밖에 없었어."

"왜요?"

"황제가 치우에게 전쟁에서 질 때마다 여성들에게 도움을 받았고 결국 발이란 여신에게 당하고 말았다고 된 걸 보면 말야."

도깨비대장이 눈알을 위로 빙글 돌리더니 말문을 닫았어. 도깨비들은 설화에서도 늘 여성들한테 당할뿐더러 여성한테는 절대로 씨름도 걸지 않잖아. 하기야 씨름도 꼭 힘 센 남자들한테만 걸지만. 난 좀 더 놀려먹기로 했어.

"정말로 도깨비는 여성들한테 꼼짝도 못하는가보네!"

"주인님, 아직 전 세상살이가 얼마 안 되어서 잘 모르겄구만요. 그 보다 이제 이 세상에는 우리 도깨비들이 거의 사라진 건 갑쇼?"

"아냐, 이 세상 곳곳에 너희들이 살아 숨 쉬고 있어."

"어디에서요?"

여섯.

우리와 함께 살고있는 도깨비

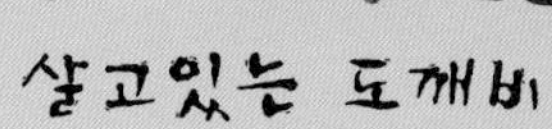

1. 도깨비 이야기

난 잠시 말을 끊었어. 도깨비대장 스스로 생각해볼 시간을 주고 싶었거든.

"예……. 우리 도깨비들이 사람들이랑 함께 살고 있구먼요."

"어디에?"

내가 되물었어.

"내내 같이 이야기 했던 도깨비기와에도 있고, 창덕궁 다리에도 있고, 절이나 정자 같은 유적지나 유물 속에 살아 있구먼요."

"또?"

"초등학교 책속에도 많이 있고요."

"또……."

"이젠 모르겠구먼요."

"이런, 이런! 네가 살고 있는 곳도 도깨비살이잖아."

"맞다, 맞다!"

"섬진강 도깨비살뿐만 아니라 화순에 도깨비소, 거창에 도깨비굴, 제주도에 도깨비도로처럼 곳곳에 도깨비 이름을 달고 있는 지명들도 있지."

"또요."

이제 반대로 도깨비대장이 물었어.

"상품이나 팬시제품 등에도 도깨비 캐릭터들이 많이 살아있고."

"또요."

"우리 설화 속에서 가장 많이 살아있지."

"맞다, 이야기 속!"

도깨비대장은 못 맞춘 걸 아쉬워 했어.

"이제 우리 할아버지 할머니들이 직접 체험한 이야기는 사라져가고 있지만 설화는 아직도 꽤 살아남았지. 동화책으로 많이 만들었거든. 물론 창작동화로 쓰이기도 하고."

"어떤 이야기가 있는감요? 난 하나도 모르는 뎁쇼."

"너무 많아서 종류만 말해도 한나절은 걸릴 거야."

"그래도 한 자리만 해줍쇼."

도깨비대장이 절절한 눈빛으로 날 바라봤어.

"이야기 속에 나오는 너희들은 능청스럽고, 익살맞고, 착하고, 어수룩하고, 변덕스럽기도 하지. 어떻게 종잡을 수가 없는 성격이야. 한마디로 어린이처럼 놀기 좋아하고 엉뚱하지. 그래서 이야기도 수없이 많아. 다 이야기 할 수는 없고 여기 제목만 봐!"

난 이야기의 제목만 보여줬어.

- ·씨름에 지고 변신한 도깨비
- ·하루 만에 쌓아놓은 보(도깨비살)
- ·솥뚜껑을 솥에 넣은 장난꾸러기
- ·그물에 똥 눈 도깨비
- ·바닷길을 찾아준 고마운 도깨비
- ·명당자리 잡아준 도깨비
- ·물고기를 몰아다준 도깨비
- ·고기잡이를 훼방 놓은 도깨비
- ·도깨비가 하루 만에 놓은 다리
- ·불효아들 길들이는 도깨비
- ·은혜 갚는 도깨비
- ·착한사람 부자로 만들어준 도깨비
- ·나쁜 형, 벌을 내린 도깨비
- ·과부 부자로 만들어주고 쫓겨난 도깨비
- ·도깨비의 슬픈 사랑이야기

·도깨비방망이 얻기

·도깨비불 따라가기

·도깨비 맷돌

·도깨비감투 얻기

·도깨비 등거리 입고 날기

·미래를 예언하는 도깨비

·갚은 돈 또 갚는 도깨비

·역사인물 알아보는 도깨비(김공선정지비)

·도깨비 대접해서 인연 맺기

제목을 들여다보다 고개를 들고 채근을 해댔어.

"주인님, 이야기 한자리만 해주면 안 되남요?"

난 좀 안 돼보였지만 고개를 살래살래 흔들었지.

"이다음 한가할 때 모두 해줄게. 그보다도 지금은 도깨비들이 얼마나 사람들과 가까이에서 함께 사는지 찾아내고 있는 중이잖아. 난 말이야, 설화를 보면서 너희 도깨비들이 얼마나 사람을 닮고 싶어 하는지도 느꼈고, 또 너희들이 얼마나 사람보다도 더 사람 같은지도 느꼈어. 우리 서민의 모습을 쏙 빼닮았거든."

2. 식물이름

1. 도깨비바늘 2. 도깨비부채
3. 도깨비고비

뿌루퉁하던 도깨비대장이 내말에 제법 의젓한 몸가짐을 했어.

"이야기 말고도 사람들과 함께한 경우가 또 있남요?"

"식물 이름에서도 찾아볼 수 있지. 도깨비바늘, 도깨비부채, 도깨비고비, 도깨비사초, 도깨비엉겅퀴가 있어.

"또 있어요?"

"또 있고말고. 너희들은 말 속에 살아있지. 말이란 그 나라의 정신이니 너희 도깨비들이 우리나라 사람들의 정신 속에 살아있다는 뜻이야."

"어떤 말인감요?"

"속담이나 관용구 속에서 살아있는 말을 찾아뒀지."

난 다시 정리해 놓은 말을 들췄어.

3. 속담과 관용구 등

• 속담속에 살고 있는 도깨비

도깨비는 방망이로 떼고 귀신은 경으로 뗀다.

귀찮은 존재를 떼는 데는 특수한 방법이 있다는 말

도깨비도 수풀이 있어야 모인다.

의지할 곳이 있어야 무슨 일이나 이루어진다는 말

도깨비를 사귀었냐?

까닭 모르게 재산이 부쩍부쩍 늘어감을 이르는 말

도깨비 쓸개다.

사물의 미세하고 부정함을 가리키는 말

도깨비 사귄 셈이다.

귀찮은 자가 조금도 곁을 떠나지 않고 늘 따라다닌다는 말

• 관용구에 살고 있는 도깨비

도깨비 달밤에 춤추듯

멋없이 꺼덕거리는 모양 (거들먹거리는 모양)

도깨비 대동강 건너듯

일의 진행이 눈에는 잘 안 띄나 그 결과가 빨리 나타남을 의미, 엄두도 못 낼 일을 쉽게 후다닥 해치울 때

도깨비 땅 마련하듯

실속 없이 헛 경륜만 하는 것 비유

도깨비 살림

있다가도 별안간 없어지는 불안정한 살림살이

도깨비 수키왓장 뒤지듯

쓸데없이 늘 이것저것 뒤지는 모양

도깨비 음모 같다.

물건의 방불(髣髴) 함을 일컫는 말(그럴듯하게 비슷함/근사함)

도깨비 장난 같다.

하는 짓이 분명하지 않아 갈피를 잡을 수 없음을 비유

도깨비 놀음 같다.(도깨비놀음, 명사)

갈피를 잡을 수 없도록 이상하게 되어가는 일

• 기타

도깨비비

갈피를 잡을 수 없는 비

도깨비사랑

쉽게 만났다가 쉽게 헤어지는 사람

도깨비집

후미진 곳에 있는 폐가 또한 놀이동산

도깨비여행

일박 삼일 같은 야행성 여행

도깨비 마을

도깨비대장은 다 읽어보고 볼이 부었어.

"그다지 기분 좋은 말들은 아닌뎁쇼?"

"너희들이 한 행동을 보고 사람들이 만들었겠지. 그리고 꼭 부정적으로만 보는 건 아니잖아."

도깨비대장은 여전히 찜찜해하며 물었어.

"아직도 남았남요?"

"그래, 그밖에도 수없이 많지. 노래 속에서도 그림과 조각, 만화, 인형극 속에서도 살아있지. 최근에는 월드컵 때 붉은악마로 다시 태어난 적도 있었고. 아직 우리나라

'도깨비살' 인형극

사람들의 마음속에 굳건히 살아있다는 뜻이지."

내말에도 불구하고 도깨비대장은 시무룩했어.

"살아있으면 뭐하남요? 어쩐지 예전 같지도 않고 진짜로 살아서 활기찬 모습도 아닌뎁쇼."

"바로 그거야, 그래서 말인데, 방망이를 찾아내야 할 것 같아."

"도깨비방망이 말인감요?"

붉은악마 로고

섬진강 도깨비 마을

일곱.

도깨비 방망이를 찾아라!

1. 문화산업

"주인님, 새삼스럽게 도깨비방망이를 찾는다고 했는감요?"

"내 말은 현대에 걸맞은 도깨비로 다시 태어나야 한다는 뜻이야."

"무슨 말인감요?"

"너희들은 치우의 정기를 이어받았으니 다시 한 번 모든 전쟁에서 승리를 이끄는 군신으로 태어나야 한다는 뜻

이야."

"허참! 주인님 말은 늘 수수께끼 같구먼요."

또 못 풀어냈다는 실망스런 얼굴이 되었어.

"현대 사회에서는 문화에 뒤처지면 영원한 후진국이 될 수밖에 없지. 그러기에 모든 나라들이 문화강국이 되려고 치열하게 다투고 있는 거고. 얼마나 치열하든지 사람들은 문화전쟁이라고들 해. 사실 치우가 치렀던 전쟁보다 더 무섭고도 냉정한 전쟁이지."

도깨비 로고

"무슨 말인지 잘 모르겠지만 전쟁에서 지게 되면…… 도깨비도 역사의 뒤꼍으로 사라져야 한다는 말인감요?"

도깨비대장이 꽤 심각한 표정을 지으며 말했어.

"너무나 당연한 이야기지."

"주인님이 말하는 문화전쟁이란 건 어떻게 치러야 하남요?"

도깨비대장은 곧 전쟁터로 나갈 모양으로 몸을 추슬렀어.

제주도 도깨비조각

"문화를 한마디로 말 할 순 없지만 사람이 사는 데 물질적이든 정신적으로든 풍요롭게 하는 모든 걸 가리키는 건데, 도깨비를 이용해서 예술뿐만 아니라 산업으로 연계시키는 걸……."

난 말을 뚝 끊었어. 도깨비대장이 멍~ 해져버렸거든.

"주인님, 한마디도 못 알아듣겠구먼요. 쉽게, 아주 쉽게 말해주십쇼."

"그래? 그럼 쉽게 예를 들어볼게. 도깨비 이야기를 아주 재미있게 만들어내면 그 이야기를 바탕으로 만화영화도 만들 수 있겠지. 만화영화를 만들려면 음악도 만들어야 하고 캐릭터도 만들어질 테고, 게임도 만들어야겠지. 그뿐 아니라 그 이야기를 바탕으로 축제도 만들고, 공원도 만들어야겠고. 그뿐이겠어. 그 캐릭터로 옷도 만들고 농수산물 상표로도 쓰이겠지. 아마도 전자제품으로 디자인해서 전 세계로 수출도 해야 할 거야. 바로 이렇게 이야

깨비딸기

기를 중심으로 다양하게 산업화 시켜 나가는 걸 어려운 말로 스토리텔링이라고도 스토리디자인이라고도 하는 거야."

깨비딸기

"주인님! 우리들이 그런 걸 할 수 있을깝쇼?"

도깨비대장이 혀를 내둘렀어. 난 단호하게 말했지.

"우리나라가 도깨비를 말야, 고려청자를 개밥그릇으로 쓰고 있는 거하고 똑같아. 너를 포함해 우리 스스로 도깨비가 얼마나 소중한지 모르고 있거든."

나의 단호한 말에 도깨비대장이 머쓱해져서 물었어.

춤을 추어요_ 김성범

"우리도깨비들이 정말 그렇게 소중하남요?"

"도깨비는 세계에서 유일한 존재야."

"당연히 하나밖에 없겠죠."

"앞에서 이야기 한 것처럼 우리나라는 괴물의 영역에 있는 존재를 모두 도깨비 하나로 통일시켜놨을 뿐더러 지구에서는 단 하나밖에 없는 성격을 가지고 있어."

"어떤 성격 말인감요?"

"사람처럼 도덕과 윤리적이란 거야."

"그게 그렇게 중요하남요?"

"그렇고말고, 그래서 세계에서 유일하게 사람이 되고 싶어 하는 괴물일 뿐더러 사람한테 당하면서 살고 있잖아."

"당하고 사는 건 그렇지만, 정말로 유일한감요?"

"일본이나 중국의 수백, 수천 종류의 괴물들이나 유럽의 요정과 비교해보면 알 수 있지. 그 괴물들은 사람이 자기 뜻에 거스르면 단박에 죽이고 말지. 그러니 다른 나라에서는 감히 괴물에게

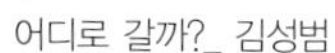
어디로 갈까?_ 김성범

사람이 맞서는 건 상상도 못 할일이야. 물론 도깨비도 사람에게 해를 끼치려 덤벼들거나 장난질을 하지만 도리어 사람에게 당하기 일쑤고 요행이 해를 끼쳐도 심한 장난에 지나지 않아."

"크크크, 우리들이 그렇게 착하구만요."

낮도깨비_ 오윤

도깨비대장은 흐뭇한 웃음을 참아내며 좋아했어.

"착할 뿐만 아니라, 장난기도 많고, 어수룩하기도 하지. 너희들은 우리 서민들의 모습을 꼭 닮았어. 바로 이런 걸 우리민족의 정서라고 하는 거야. 괴물까지 무서운 존재가 아닌 해학적인 존재로 만들어 놓은 느긋한 여유 말야. 이런 여유가 너희들을 세계 최고의 문화산업의 발판을 만들어 놓았다고 생각해. 내 생각으로는 세종대왕이 만든 한글과 버금가는 문화유산이라고 생각하니까."

"다시 머리 아프고 어려운 문화산업이야기로 넘어왔구

면요.”

“네가 그다지 골치 아파 할 필요는 없어.”

“왜요?”

“난 우리이야기에 끼어든 사람은 이미 눈치를 챘고, 해낼 수 있을 거라고 보거든.”

“또 수수께끼인감요.”

난 빙긋이 웃으며 도깨비대장을 잠시 바라보다 말문을 열었어.

“아직 우리나라 학계에서는 우리도깨비의 모습도 찾아내지 못했지. 하지만 나처럼 누군가 계속 주장을 펼쳐나갈 것이고, 결국 많은 사람들의 관심이 정설을 만들어 낼 거야. 그건 도깨비도 아니고, 어른들도 할 수 없는 일이라고 봐. 내 생각엔 이제 우리 어린이들의 몫이야. 반드시 어린이들이 해내고 말거야.”

2. 보물창고

도깨비대장은 착한 어린이가 된 것처럼 초롱초롱한 눈

빛으로 내 얘기를 새겨들었어.

"그리고 좀 전에 말한 문화산업도 어린이들은 이미 멋진 생각을 해놓았을 거라고 봐. 도깨비는 세종대왕이 우리에게 만들어준 한글처럼 너무나 현대에 딱 들어맞는 캐릭터거든."

내가 말문을 닫아도 도깨비대장은 끼어들지도 않고 기다렸어.

"먼저 도깨비들은 음식을 잘 차려놓고 서로 어울려 춤추고 노래 부르며 노는 데는 선수들이야. 이런 모습은 중국 문헌에도 나와 있어. 한반도 사람들이 모이면 남녀노소 가리지 않고 밤낮도 없이 춤추고 노래 부르며 논다고 말야. 바로 신명난 우리 민족의 축제 문화야. 어디 그뿐이겠어. 도깨비의 변신은 두 번째 가라면 서운하겠지. 도깨비의 발 빠른 변신은 다양한 현대문화를 모두 받아낼 수 있는 역량을 가진 거야. 그리고 무엇보다도 소중한건 깨끗한 환경이미지와 맞닿아 있다는 거야. 도깨비 자체가 깨끗한 곳에서 살기도 하지만 변신한 물건들을 생각해봐 모두 일상생활에서 오랫동안 쓰다가 사람의 기운이 뭉쳐져서 변한 것들이야. 환경을 되새기고 환경보존에 힘을 더할 수 있는 캐릭터들이지."

내가 말을 마쳤는데도 도깨비대장은 콧주름을 내며 골똘히 생각했어.

"어때, 내 말이?"

도깨비대장이 눈동자를 빤짝이며 또박또박 말했어.

"주인님, 우리 도깨비가 보물창고구만요!"

"우와! 대단한 걸 발견했네!"

난 정말로 깜짝 놀랐어. 도깨비대장이 이렇게 똑똑한 말을 할 줄 몰랐거든. 도깨비대장이 벌떡 일어나며 바삐 말했어.

"주인님, 우리 빨랑 도깨비방망이를 찾으러갑죠."

"잠깐 떠나기 전에 마음에 새겨둬야 할 게 있어."

"뭔갑쇼?"

"어떤 일이 있어도 너의 뿌리를 잊지 말아야 해."

"치우천왕 말인갑쇼?"

"그래 동이족이며 묘족의 시조이기도 하지."

"어?"

3. 우리는 도깨비민족

도깨비대장의 눈이 왕방울처럼 둥그렇게 커졌어.

"주인님, 주인님! 그러고 보니 우리 도깨비하고 주인님의 조상이 똑같은뎁쇼."

"맞았어. 도깨비가 우리민족이고 우리민족이 바로 도깨비지."

"애고! 이 소중한 사실을 이제야 깨달았구먼요!"

"그래서 이처럼 소중한 사실을 빼앗길 순 없으니 정신 번쩍 차리라는 거야."

"그게 무슨 말인갑쇼?"

"어려운 말로 동북공정이라고 하지."

"……."

도깨비대장은 눈을 부릅뜨고 귀를 기울였어.

"1980년대부터 중국은 고구려를 자기들의 역사라고 우기고 들었어. 그러더니 언제부터인가 동쪽의 오랑캐라고 부르던 동이족인 염제와 치우를 대대적으로 발굴 복원하더니, 90년대부터는 아예 자기들의 조상이라고 주장을 하고 나섰어. 이 말대로 하면 치우가 다스렸던 고구려의 전신인 구려뿐만 아니라 고구려, 북부여, 고조선까지 고스란히 중국의 역사가 되는 것이지."

"도대체 우리나라 사람은 뭐하고 있는갑쇼?"

"몇몇 단체와 개인이 맞서서 연구를 하고 있지만 중국에서는 우리나라 사람에게는 아예 유적지에 접근도 못하게 막고 있지."

"그럼 우리는 어떻게 해야합죠?"

"먼저 우리가 누구인지 새기고 다짐하고 도깨비를 지

켜, 방망이를 찾아내서 본때를 보여줘야지."

"지금은 문화전쟁이란 말입죠?"

난 또 한 번 똑똑해진 도깨비대장에게 깜짝 놀랐어. 도깨비대장이 벌떡 일어났어.

"주인님, 이제 방망이를 찾으러 떠나야합죠?"

"아직 잠깐만!"

"또 뭔갑쇼?"

"가만, 가만. 어린이들과 함께 가야지!"

"당연히 그래야지요. 우리 모두 함께 앞으로!"

참고한 책과 자료

단행본

· 『한국 종교이야기』 최준식 지음, 김동성 그림, 한울 1995

· 『민속한국사』 이규태 지음, 현음사 1983

· 『우리문화의 수수께끼』 주강현 지음, 한겨레신문사 1996

· 『도깨비를 둘러싼 민간신앙과 설화』 김종대 지음, 인디북 2004

· 『옛 전돌』 김성구 글 사진, 대원사 2003

· 『일본의 도깨비이야기』 川崎大治 지음, 명지출판사 1992

· 『도깨비 날개를 달다』 김열규 지음, 춘추사 1991

· 『나는 공부하러 박물관 간다』 이원복 지음, 효형출판 1997

· 『저기 도깨비가 간다』 김종대 지음, 다른세상 2000

· 『옛기와』 김성구 글 사진, 대원사 1992

· 『지옥도』 이기선 글, 안정헌 윤열수 사진, 대원사 1992

· 『한단고기』 임승국번역 주해, 정신세계사 1986

· 『도깨비의 세계』 김종대 지음, 국학자료원 1994

· 『치우천왕』 김산호 지음, (주)도서출판 다물렛 2005

논문

· 「'도깨비감투' 설화의 구조와 의미 및 교육적 활용에 관한 연구」 노용환, 한국교원대학교 대학원 석사학위 논문 2000

· 「한국 도깨비담과 러시아 바바-야가담의 비교연구」 全晟希, 고려대학교 대학원 석사학위논문 2003

· 「도개비담 구조 연구」 김송일, 원광대학교 대학원 석사학위논문 2000

· 「한국도깨비를 활용한 초등학교 전통문화교육」 서울시립대학교 대학원 석사학위논문 2006

· 「도깨비 설화 연구」 김병철, 인하대학교 교육대학원 석사학위 논문 2002

· 「한국전래동화의 삽화에 관한 연구」 제정숙, 진주교육대학교 교육대학원 석사학위논문 2002

· 「도깨비와 오니, 시각 이미지의 형성과 양상에 대한 비교연구」 藤川智子, 서울대학교 국제대학원 석사학위논문 2004

· 「한중일 도깨비 얼굴무늬 비교연구」 이임정, 홍익대학교 대학원 시각디자인학과 석사학위논문 2006

· 「치우족명에 대한 한중기록 비교」 박정학

· 「치우는 단군보다 400년 전에 금속병기를 만들었다.」 박정학

사진 자료

· 한국마사박물관

· 국립경주박물관

· 곽해익

· 네오그라피

· 삼신사

기타 자료

· 〈도깨비는 뿔이 없다〉 KBS

적령부

홍석모 『동국세시기』에서 다음과 같이 설명되어 있다.

관상감에서 천중적부를 주사로 탁본하여 궐내에 붙이고 그 나머지는 사대부에 나누어주면 사대부들 또한 문에 붙인다. 그 내용은

'5월 5일 천중지절에 위로는 하늘의 녹을 받고 아래로는 땅의 복을 받기를 원하며 구리로 된 머리와 쇠로된 이마를 가진 치우신의 붉은 입과 붉은 혀로 404종의 병을 일시에 소멸시키길 급히 바라옵니다.'

『포박자』에 의하면

혹 5병의 난을 피하는 도를 물으면, 5월 5일 적령부를 만들어 심장 앞에 붙이라, 하였다.

도깨비를
찾아라!

초판1쇄 찍은 날 2011년 7월 23일
초판1쇄 펴낸 날 2011년 7월 25일

지은이 김성범
펴낸이 송광룡
펴낸곳 문학들
주소 503-821 광주광역시 동구 학동 81-29 2층
전화 062-651-6968
팩스 062-621-9690
메일 munhakdle@hanmail.net
등록 2009년 10월 14일 광주 바 00047
값 **12,000**원

ISBN 978-89-92680-50-9